Tesoros
PARA TÍ

ANA M. VIADER

Introducción

Llevo muchos años leyendo y estudiando la Biblia. Mientras más la leo, más la aprecio y más amo la Palabra de Dios. Para mí, es como una carta de amor que Dios nos escribió llena de grandes tesoros en donde Él nos revela quién y cómo es. En la Biblia podemos conocer Sus promesas, qué cosas le agradan y qué Él espera de nosotros. Sobre todo, nos muestra cuánto nos ama, cómo podemos vivir y relacionarnos con Él y nos recuerda el sacrificio que hizo Jesús para que podamos estar con Él en la eternidad.

Este libro/devocional/diario está dividido en cuatro secciones: **Tesoros de poder, Tesoros de paz, Tesoros de esperanza y Tesoros de valor.** No es necesario seguir un orden específico, puedes escoger leer un tesoro según tú prefieras. Cada página contiene: **"El tesoro que Dios te regala para hoy".** Más que una lectura rápida, quiero que cada verso origine una conversación con Dios. Imagina que cada tesoro es parte de esa carta de amor que Dios escribió especialmente para ti. **"Reflexión para ti"** es solo un aperitivo según Dios me ha hablado a través de esos versos: pero aquí el verdadero tesoro está en esa conversación personal e individual que tú tengas con Dios.

Por definición, una conversación fluye en dos direcciones y ese es precisamente el propósito de **"Mi conversación con Dios"**; el poder inspirar, motivar y recoger esas conversaciones entre tú y Dios. Es el espacio para que anotes lo que Él te revela y lo que tú le contestas. Atrévete a ponerle fecha: al pasar el tiempo podrás releer tu experiencia de crecimiento espiritual y reafirmar tu fe. Al final, en **"Gracias Señor..."** podrás documentar las maravillas que Dios ha revelado a tu vida.

Para mi, el poder compartir estos tesoros contigo ha sido una gran bendición. Encontrarás que los tesoros están en diferentes versiones bíblicas y las palabras puedan parecer diferentes, pero el mensaje es el mismo. Te invito a acceder a mi blog *"Voz de mi fe"*. https://vozdemifeviader.blogspot.com. donde podrás leer más reflexiones y también puedes compartir tus impresiones y pensamientos.

Espero que puedas entusiasmarte y apoderarte de los tesoros que Dios ya te ha regalado.

Ana Maria

Índice

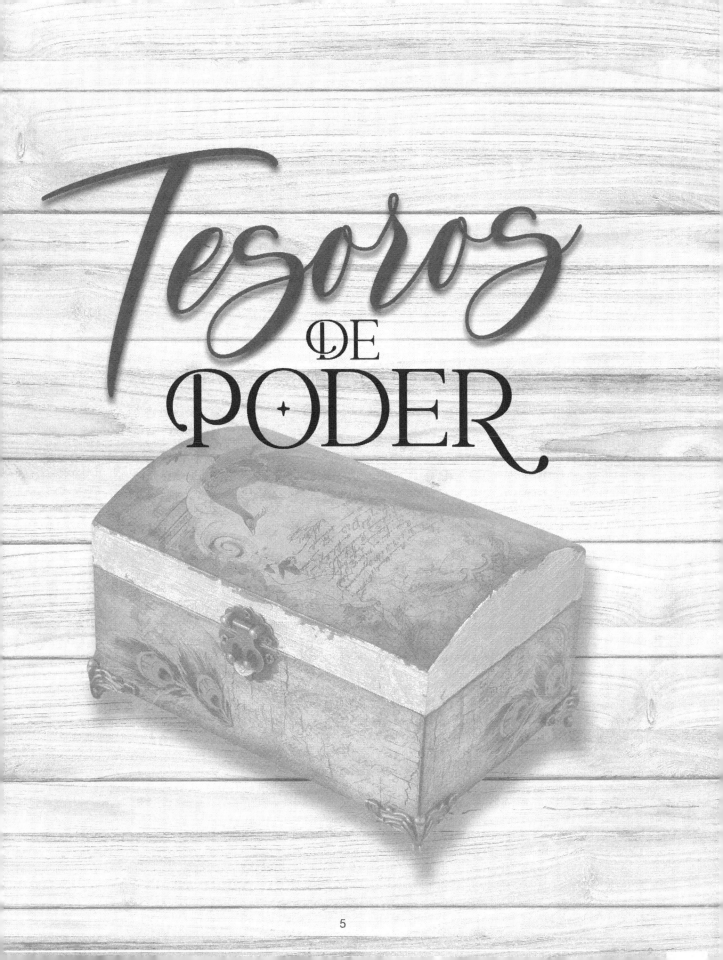

Tesoros DE PODER

"Señor DIOS, Tú hiciste el cielo y la tierra con
tu gran poder y con tu brazo extendido. No hay nada
demasiado difícil para ti." Jeremías 32:17 PDT

Reflexión para ti. . .

¿Puedes imaginarte algo más difícil y complejo que crear el universo, los cielos, la tierra y todo lo que en ella hay? Si Dios tiene la sabiduría para diseñar el universo y el poder para ejecutar Su diseño, no hay nada que sea tan difícil que Él no pueda hacer.

Hoy, entrega en Sus manos poderosas cualquier necesidad que tengas:

No hay nada difícil para el Creador Todopoderoso del universo.

Mi conversación con Dios...

_____
_____
_____
_____
_____
_____
_____
_____
_____

Gracias Señor...

"Él será la seguridad de tus tiempos, te dará en abundancia salvación, sabiduría y conocimiento; el temor del Señor será tu tesoro." Isaías 33:6 NVI

Reflexión para ti. . .

Tienes un tesoro de valor incalculable en tus manos: el conocimiento, la sabiduría y la salvación que vienen de someter tu vida a Dios.

¡Él es tu tesoro!

¡Búscalo, conócelo y acéptalo hoy!

Mi conversación con Dios...

_____

_____

_____

_____

_____

_____

_____

_____

_____

Gracias Señor. . .

Tesoro de Poder que Dios te regala hoy

"Mis hijitos, ustedes son de Dios y por esto ya han derrotado
a los enemigos de Cristo, porque el que está en ustedes es más
grande que el que está en el mundo". 1 Juan 4:4 PDT

Reflexión para ti...

*El Dios Todopoderoso que mora en nosotros nos da la victoria sobre el
mal. Para vencer, solo tienes que reclamar Su presencia y poder en tu vida.
Con Él, somos vencedores.*

Mi conversación con Dios...

_____
_____
_____
_____
_____
_____
_____
_____
_____

Gracias Señor...

"... Sufrirán por un tiempo, pero después Dios los sanará, los fortalecerá, los apoyará y evitará que caigan. Él tiene todo el poder para siempre..." 1 Pedro 5:10b-11 PDT

Reflexión para ti...

Cualquier sufrimiento que puedas tener en este momento no te puede destruir si Dios está en ti. Él, que tuvo el poder para regalarte la gloria eterna, es poderoso para restaurarte, fortalecerte, sostenerte firme y darte estabilidad mientras vivas.

Mi conversación con Dios...

_____

_____

_____

_____

_____

_____

_____

_____

_____

Gracias Señor...

"Ten en cuenta a Dios en todo lo que hagas,
y Él te ayudará a vivir rectamente."
Proverbios 3:6 PDT

Reflexión para ti. . .

Cuando reconozco Su poder para dirigir mi vida, y le doy la autoridad para guiarme en el camino principal, Él limpia también los senderos secundarios para que no tropiece.

Mi conversación con Dios...

_____
_____
_____
_____
_____
_____
_____
_____
_____

Gracias Señor. . .

"El mensaje de la cruz parece una tontería para aquellos
que están perdidos; pero para los que estamos siendo salvados
es el poder de Dios." 1 Corintios 1:18 PDT

Reflexión para ti. . .

El sacrificio de Cristo en la cruz por nosotros no se puede entender hasta que no lo aceptamos. Solo entonces podemos acogernos a Su poder. No es nuestra mente la que nos permite acercarnos a Dios, sino Su amor.

Mi conversación con Dios...

_____
_____
_____
_____
_____
_____
_____
_____
_____

Gracias Señor. . .

"Llámame a mí, que Yo te responderé.
Te contaré secretos grandiosos e inimaginables
que tú no conoces." Jeremías 33:3 PDT

Reflexión para ti. . .

Por mucho conocimiento que tengamos, no se compara con el de Dios. Cuando no entendemos algo, ¿quién mejor que el dueño de la sabiduría, el creador del universo, para guiarnos a través de la verdad? Él prometió contestarnos y guiarnos.

Si hoy no entiendes tu situación y no ves lo que Dios está haciendo, recuerda que Él sabe cosas que tú no conoces. Confía en Su sabiduría.

Mi conversación con Dios...

_____
_____
_____
_____
_____
_____
_____
_____
_____

Gracias Señor. . .

"No recuerden lo que pasó antes ni piensen en el pasado. Fíjense, voy a hacer algo nuevo. Eso es lo que está pasando ahora, ¿no se dan cuenta? Haré un camino en el desierto y ríos en tierra desolada." Isaías 43:18–19 PDT

Reflexión para ti...

Dios tiene el poder de hacer todas las cosas nuevas, tiene el poder de transformar situaciones difíciles en bendición. Fíjate hoy en las cosas nuevas que Él está haciendo: no te detengas en las que sucedieron ayer.

Es bueno recordar el pasado para agradecer y crecer. Es mejor mirar lo que Dios está haciendo hoy para bendecir nuestro mañana.

Mi conversación con Dios...

Gracias Señor...

"Pues Tú, Señor, bendices al que te obedece,
como un escudo lo cubres con tu favor."
Salmo 5:12 PDT

Reflexión para ti...

El amor de Dios nos protege como un escudo poderoso. Su poder se desata con nuestra obediencia. Si necesitas la bendición de Su cubierta protectora, busca Su voluntad y comprométete a obedecerle.

Mi conversación con Dios...

_____

_____

_____

_____

_____

_____

_____

_____

_____

Gracias Señor...

"Dios es nuestro refugio y fortaleza. Él siempre
está dispuesto a ayudarnos en los momentos difíciles."
Salmo 46:1 PDT

Reflexión para ti. . .

¿Alguna vez has apreciado y valorado un refugio oportuno donde cobijarte de una inesperada lluvia tempestuosa: una de esas lluvias para las que un paraguas no es suficiente?

¡Qué maravilloso y alentador es saber que tenemos un refugio poderoso y seguro a donde acudir cuando las tormentas de la vida llegan! En los momentos en que te sientas impotente, clama a Él y obtendrás Su refugio y Su cubierta.

Mi conversación con Dios...

_____
_____
_____
_____
_____
_____
_____
_____
_____
_____

Gracias Señor...

Tesoro de Poder que Dios te regala hoy

"El que habita a la sombra del Altísimo, se acoge a la protección del Todopoderoso. Yo le digo al Señor: Tú eres mi refugio, mi fortaleza. Dios mío confío en ti." Salmo 91:1-2 PDT

Reflexión para ti...

Aprende a habitar a Su sombra. Todo el que se cobija bajo ella, tiene Su poder a la disposición. Para habitar a Su sombra, tus movimientos tienen que estar alineados con Él.

Susúrrale hoy que confías y te quieres acoger a Su protección. No es cualquier protección: es la protección del TODOPODEROSO.

Mi conversación con Dios...

_____
_____
_____
_____
_____
_____
_____
_____
_____

Gracias Señor...

"Cuando atravieses las aguas, yo estaré contigo. Cuando cruces los ríos no te ahogarás. Cuando tengas que atravesar por fuego, no te quemarás; las llamas no arderán en ti. Porque yo soy el Señor tu Dios, el Santo de Israel, tu Salvador." Isaías 43:2–3 PDT

Reflexión para ti...

En la vida vendrán aguas y ríos que nos atemorice cruzar. Habrá fuegos que nos infundan temor. Siempre es mejor cruzarlos acompañado del Poderoso Dios. No te lances a cruzar los ríos ni a atravesar el fuego sin Su protección. Declara hoy que solo Dios es Santo y que Él es tu Señor y Salvador.

Mi conversación con Dios...

_____

_____

_____

_____

_____

_____

_____

_____

_____

Gracias Señor...

Tesoro de Poder que Dios te regala hoy

"...Yo soy Dios, y siempre seré Dios. Nadie puede librarse de mi poder. Lo que yo hago, ¿quién puede deshacerlo?" Isaías 43:12b-13 PDT

Reflexión para ti. . .

¡Qué bueno es saber que estamos en Su mismo ejército!

Su poder no cambia y nada lo supera. El triunfo está garantizado. Ante tantas cosas que cambian en nuestro mundo, y con tantas otras que son relativas, no olvides que el poder de Dios no cambia ni puede ser derrotado. Nadie está fuera de Su alcance y de Su poder.

Mi conversación con Dios...

_____
_____
_____
_____
_____
_____
_____
_____
_____

Gracias Señor. . .

"Mis ovejas oyen mi voz, y yo las conozco y me siguen. Les doy vida eterna y no morirán jamás, nadie me las puede quitar. Mi Padre me las dio y Él es más grande que cualquiera. Nadie se las puede quitar. El Padre y yo somos uno." Juan 10:27–29 PDT

Reflexión para ti...

Lo conoces y te conoce. Te habla y te escucha. Eres suyo.

Es una relación de dos: nadie más tiene poder entre ustedes. Aprende a distinguir Su voz y seguirla. Su Palabra: la Biblia, es la mejor fuente de Su voz. Mientras sigas Su voz, nadie puede quitarte Su sello de propiedad.

Mi conversación con Dios...

_____

_____

_____

_____

_____

_____

_____

_____

_____

_____

Gracias Señor...

Tesoro de Poder que Dios te regala hoy

"Oré al SEÑOR, y Él me respondió; me libró de todos mis temores. Los que buscan su ayuda estarán radiantes de alegría; ninguna sombra de vergüenza les oscurecerá el rostro. En mi desesperación oré, y el SEÑOR me escuchó; me salvó de todas mis dificultades. Pues el ángel del SEÑOR es un guardián; rodea y defiende a todos los que le temen." Salmo 34:4–7 NTV

Reflexión para ti. . .

¿Te sientes atemorizado o desesperado? Dios responde a todo aquel que busca Su protección con amor y humildad. En los momentos atemorizantes, busca Su ayuda: Él te proveerá protección con poder. Su ángel está hoy acampando a tu lado con la encomienda de defenderte. Esta promesa es para los que le aman: ¿le amas tú? ¿se lo has declarado hoy?

Mi conversación con Dios...

_____
_____
_____
_____
_____
_____
_____
_____
_____

Gracias Señor. . .

"El Señor protege la vida de Sus fieles y todo
el que acuda a Él en busca de ayuda, la encontrará."
Salmo 34:22 PDT

Reflexión para ti...

Si somos fieles, nuestro socorro está a la distancia de un llamado. Él nos promete ayuda en el momento que lo busquemos. Si eres fiel en tu relación con Dios, Él es fiel y poderoso para cumplir Su promesa.

Mi conversación con Dios...

_____

_____

_____

_____

_____

_____

_____

_____

_____

_____

Gracias Señor...

"Ustedes sólo han tenido las mismas tentaciones que todos los demás. Pero Dios es fiel y no va a dejar que sean tentados más allá de lo que puedan soportar. Así que sepan que cuando sean tentados, van a poder soportar, porque Dios les dará una salida." 1 Corintios 10:13 PDT

Reflexión para ti. . .

El secreto para ver las salidas a las tentaciones cuando éstas lleguen es estar conectados a Dios. Él siempre tiene un camino que mostrarnos. Pídele que te prepare desde ahora para que cuando venga la tentación puedas discernir Su dirección con la salida. Si estás ahora en tentación, confía en la fidelidad de Dios que te prometió una salida exitosa.

Mi conversación con Dios...

_____

_____

_____

_____

_____

_____

_____

_____

Gracias Señor. . .

"Tu brazo es poderoso, Tu diestra es fuerte;
Tu mano muestra la victoria." Salmo 89:13 PDT

Reflexión para ti...

¡Bendito sea el Señor que es todopoderoso y fuerte! Él tiene la victoria ya. Agárrate fuerte de Su mano, no la sueltes para aventurarte a caminar solo; la victoria finalmente viene por Su mano, no por la tuya. El poder es Suyo, no tuyo.

Mi conversación con Dios...

_____
_____
_____
_____
_____
_____
_____
_____
_____

Gracias Señor...

"¡Qué afortunados son, Señor, los que saben alabarte con alegría!
Ellos andan a la luz de Tu presencia. Tú eres su fuerza asombrosa,
su fortaleza viene de ti. Señor, Tú eres nuestro escudo.
Nuestro Rey es el Santísimo de Israel." Salmo 89:15, 17,18 PDT

Reflexión para ti. . .

¿Practicas consistentemente la alabanza? ¿Cuándo fue la última vez que le alabaste con alegría?

La alabanza con gozo sincero nos lleva a la presencia del REY y de ahí obtenemos luz, fortaleza y protección. ¡Alabado sea nuestro Dios, Rey Todopoderoso!

Mi conversación con Dios...

_____

_____

_____

_____

_____

_____

_____

_____

Gracias Señor...

"Pues no siento vergüenza de la buena noticia acerca de Cristo porque es el poder que Dios usa para salvar a todos los que creen en Él... La buena noticia acerca de Cristo revela el plan de Dios para traer justicia al mundo entero..." Romanos 1:16a,17a PDT

Reflexión para ti...

Cuando hablamos a otros de Su plan, el poder para Salvación no está en nuestras palabras, sino en Su obra. No te avergüences de proclamarlo, Él no se avergonzó de ti, sino que proveyó el camino para tu salvación.

Mi conversación con Dios...

_____

_____

_____

_____

_____

_____

_____

_____

_____

Gracias Señor...

"La Escritura dice: Todo el que confíe en Él no será defraudado:
todo porque a Dios no le importa si uno es judío o no, pues el mismo
Señor es Señor de todos. Es generoso con todos los que le piden ayuda,
porque todos los que confíen en el Señor serán salvos."
Romanos 10:11-13 PDT

Reflexión para ti. . .

La Biblia es evidencia de que a todos los que se acercaron a Dios con fe sincera, sin importar su nacionalidad, su género, su posición social, su posición económica, su salud ni su título, Él los recibió. El único requisito sigue siendo acercarse con fe sincera.

¿Tienes el requisito?

Acércate a Él.

Mi conversación con Dios...

_____
_____
_____
_____
_____
_____
_____
_____
_____

Gracias Señor. . .

"Pero cuando el Espíritu Santo venga sobre ustedes, recibirán poder. Serán mis testigos en Jerusalén, en toda la región de Judea, en Samaria y en todo el mundo." Hechos 1:8 PDT

Reflexión para ti. . .

El poder de llevar Su Palabra, testificar y proclamar el plan de salvación viene de Dios a través de la presencia del Espíritu Santo. El poder no está en nuestras palabras sino en la Suya.

Pídele a Dios el poder del Espíritu Santo para proclamar Su palabra: no olvides pedirle también humidad para recordar que el poder es de Él.

Mi conversación con Dios...

_____

_____

_____

_____

_____

_____

_____

_____

Gracias Señor. . .

"Sean fuertes y valientes; no tengan miedo ni se aterroricen de ellas, porque el Señor su Dios irá con ustedes. Él no los abandonará ni los olvidará." Deuteronomio 31:6 PDT

Reflexión para ti. . .

Es bueno saber que ante las luchas contra aquellos que nos quieren robar la bendición que Dios tiene para nosotros, Él nos promete Su compañía. Saber que contamos con Su presencia poderosa siempre es fuente de fortaleza y valor.

Él no se ha olvidado de ti, no te ha abandonado.

No tengas miedo.

Mi conversación con Dios...

_____
_____
_____
_____
_____
_____
_____
_____
_____

Gracias Señor...

"...Dios tu creador te dice: "No tengas miedo. Yo te he liberado; te he llamado por tu nombre y tú me perteneces. Aunque tengas graves problemas, Yo siempre estaré contigo; cruzarás ríos y no te ahogarás, caminarás en el fuego y no te quemarás." Isaías 43:1-2 TLA

Reflexión para ti...

El Dios Santo que tuvo el poder para crearte y para formarte, también tiene el poder para liberarte y llamarte. Eres suyo, tiene un plan bueno para ti y tiene el poder para cumplir Su propósito si le entregas tus miedos y tus problemas.

¡Qué gran paz produce saber que tu dueño está de tu parte y te acompaña con la promesa de protegerte!

Mi conversación con Dios...

_____

_____

_____

_____

_____

_____

_____

_____

_____

Gracias Señor...

"Así habla el Señor, el Rey de Israel, el Salvador,
el Señor Todopoderoso: Yo soy el primero y el último.
El único Dios que existe soy yo." Isaías 44:6 PDT

Reflexión para ti...

Ahora mismo reconócelo y alábalo porque Él es:

Tu Señor, Tu Rey, Tu Salvador

Todopoderoso, Eterno, Único

Mi conversación con Dios...

_____

_____

_____

_____

_____

_____

_____

_____

_____

Gracias Señor...

"Tenemos este tesoro en vasijas de barro para demostrar que este extraordinario poder que obra en nuestra vida no viene de nosotros, sino de Dios." 2 Corintios 4:7 PDT

Reflexión para ti...

Cada debilidad, enfermedad, fracaso ó limitación, nos recuerda que somos humanos. De la misma manera, cada logro y habilidad nos debe recordar que Él es la fuente de poder. Él lo derrama sobre ti, lo comparte contigo para cumplir Su propósito.

Mi conversación con Dios...

_____

_____

_____

_____

_____

_____

_____

_____

_____

Gracias Señor...

"Por eso, aunque tengamos toda clase de problemas,
no estamos derrotados. Aunque tengamos muchas preocupaciones,
no nos damos por vencidos. Aunque nos persigan, Dios no
nos abandona. Aunque nos derriben, no nos destruyen."
2 Corintios 4:8–9 PDT

Reflexión para ti...

Conoce el poder de Dios, y cree verdaderamente que Él no te abandona. Entonces verás todo lo que te ocurre desde otra perspectiva. Entonces sabrás que tus problemas no son más fuertes que Él, que puedes sujetar tus preocupaciones a Su potestad y que Él, en su infinita sabiduría y poder, actuará para cumplir Su buen propósito en ti.

Mi conversación con Dios...

_____
_____
_____
_____
_____
_____
_____
_____

Gracias Señor...

"Por eso no nos damos por vencidos. Es cierto que nuestro cuerpo se envejece y se debilita, pero dentro de nosotros nuestro espíritu se renueva y fortalece cada día." 2 Corintios 4:16 PDT

Reflexión para ti. . .

En Su infinita sabiduría Dios nos sopló el aliento de Su espíritu que nos da una dimensión espiritual y anhelo de eternidad. Nuestro espíritu no está atado a procesos de decadencia como nuestro cuerpo. Hoy, no importa la condición física de tu cuerpo, decide renovar y fortalecer tu espíritu.

No te des por vencido, tu espíritu tendrá nuevas fuerzas mañana.

Mi conversación con Dios...

_____
_____
_____
_____
_____
_____
_____
_____
_____

Gracias Señor. . .

"Nuestros sufrimientos son pasajeros y pequeños en comparación
con la gloria eterna y grandiosa a la que ellos nos conducen.
A nosotros no nos interesa lo que se puede ver, sino lo que no se puede
ver, porque lo que se puede ver, sólo dura poco tiempo. En cambio,
lo que no se puede ver, dura para siempre." 2 Corintios 4:17-18 PDT

Reflexión para ti...

Cuando aceptamos el sacrificio de Cristo por nosotros, empezamos a vislumbrar lo que será la gloria eterna. Aunque no podamos comprenderlo bien, sí podemos confiar en que nada que suceda en nuestro corto paso por la vida se puede comparar con el bien que nos espera en la eternidad. Cuando las cosas aquí sean difíciles, pon tus ojos en la gloria eterna.

Prefiere lo que dura para siempre.

Mi conversación con Dios...

_____
_____
_____
_____
_____
_____
_____
_____

Gracias Señor...

"Tengan dominio propio y manténganse alerta.
Su enemigo el diablo anda por ahí como un león rugiente
buscando a quien devorar." 1 Pedro 5:8 PDT

Reflexión para ti. . .

El peligro de descuidarnos, de dormirnos en los laureles, de sobre-confiarnos, es sabiduría aceptada por todos. Reconocemos esa verdad en la vida cotidiana, pero ¿por qué se nos hace difícil reconocerlo en la vida espiritual? Recuerda siempre estar preparado, siempre ejercitado para la buena batalla de la fe. Necesitarás auto disciplina y dominio propio para estar siempre alerta.

Mi conversación con Dios...

_____
_____
_____
_____
_____
_____
_____
_____
_____

Gracias Señor. . .

"Porque el Espíritu que Dios nos ha dado no nos hace cobardes,
sino que Él es para nosotros fuente de poder,
amor y buen juicio." 2 Timoteo 1:7 PDT

Reflexión para ti. . .

Su Espíritu está en nosotros desde que creímos para salvación. Desde ese momento el Espíritu comparte con nosotros Su poder, Su amor y Su buen juicio. Si en estos momentos necesitas esa manifestación de poder, amor o buen juicio, pídeselo a Dios: Él lo tiene ahí para ti.

Mi conversación con Dios...

_____
_____
_____
_____
_____
_____
_____
_____

Gracias Señor. . .

"... Sé muy bien en quién he confiado y estoy seguro
de que Él puede guardar hasta ese día todo lo que ha puesto
en mis manos." 2 Timoteo 1:12b PDT

Reflexión para ti...

Dios te entregó dones, habilidades y capacidades de acuerdo con el propósito que tenía para ti. Si estás cumpliendo Su propósito, confía en que Él tiene el deseo y el poder de guardar Su obra en ti hasta el día en que estés ante Él. Puedes pedirle hoy mismo la revelación o la confirmación de Su propósito en tu vida: Él te contestará.

Mi conversación con Dios...

_____
_____
_____
_____
_____
_____
_____
_____
_____
_____

Gracias Señor...

Tesoro de Poder que Dios te regala hoy

"No es que el Señor se tarde en cumplir lo que prometió como piensa la gente. Lo que pasa es que Dios es paciente porque no quiere que nadie sea destruido, sino que todos cambien su vida y dejen de pecar." 2 Pedro 3:9 PDT

Reflexión para ti...

¡Qué alentador es saber que Dios desea nuestra salvación! Tiene el poder de acabar con todo ahora mismo, pero sigue dándonos oportunidades para que nos volvamos a Él. ¡Qué consolador es saber que Dios prefiere tener paciencia y esperar por nosotros!

La paciencia de Dios es grande, pero Su Palabra es fiel y se cumplirá: ¡Él vuelve! Valora, agradece y no desaproveches esa oportunidad, no sabes cuándo será la última, y el tiempo se acabe.

Mi conversación con Dios...

_____

_____

_____

_____

_____

_____

_____

_____

_____

Gracias Señor...

"Jesús mismo sufrió y fue tentado, por eso puede ayudar
a aquellos que son tentados." Hebreos 2:18 PDT

Reflexión para ti...

No temas clamar a Cristo para que te ayude a vencer la tentación.

Él te conoce y te comprende.

Él estuvo frente a la tentación y la venció. Sabe lo que necesitas y no te negará Su ayuda.

Mi conversación con Dios...

_____

_____

_____

_____

_____

_____

_____

_____

_____

_____

Gracias Señor...

"Porque Dios dice: Te escuché en el momento preciso y te ayudé cuando llegó el día de salvación. ¡Escuchen! Este es el momento preciso. Hoy es el día de salvación." 2 Corintios 6:2 PDT

Reflexión para ti...

Hoy es el día que Dios quiere encontrarse contigo: puede ser para salvación, puede ser para ayudarte en alguna dificultad, o sencillamente para confirmarte que está contigo. Es posible que solo quiera hablar contigo.

¡Este es el momento preciso!

¡Contéstale!

Mi conversación con Dios...

_____

_____

_____

_____

_____

_____

_____

_____

_____

Gracias Señor...

"Por lo tanto, ustedes los que no son judíos, ya no son inmigrantes ni exiliados, sino ciudadanos junto con el pueblo santo y forman parte de la familia de Dios." Efesios 2:19 PDT

Reflexión para ti. . .

Tienes el privilegio de poseer la ciudadanía del reino más poderoso de la tierra y los cielos. Esa ciudadanía te garantiza la protección y cobertura del ejército de Dios.

Él pelea por ti.

Y tú. ¿lo reconoces y lo honras como tu Rey?

¿Te sientes Su familia?

Mi conversación con Dios...

_____

_____

_____

_____

_____

_____

_____

_____

_____

_____

Gracias Señor...

"... Su fidelidad será tu escudo y tu muralla protectora."
Salmo 91:4b PDT

Reflexión para ti. . .

Para nosotros es fácil hacer promesas. Lo que es difícil es cumplirlas sin fallar. Dios es fiel a sus promesas. Él no miente ni falla. Puedes descansar en esas promesas y usarlas como escudo de protección infalible.

Mi conversación con Dios...

_____
_____
_____
_____
_____
_____
_____
_____

Gracias Señor. . .

"Porque tú confiaste en el Señor e hiciste que el Altísimo
fuera tu protección. Nada malo te sucederá, ni habrá enfermedades
en tu casa porque Él dará orden a sus ángeles para que
te protejan a dondequiera que vayas." Salmo 91:9-11 PDT

Reflexión para ti...

Dios es quien envía en misiones a su ejército de ángeles. Cuando nos hemos entregado a Él, tendremos a su ejército peleando por nosotros. Confía en Él: Su protección no te fallará.

Mi conversación con Dios...

_____
_____
_____
_____
_____
_____
_____
_____

Gracias Señor...

"Yo lo salvaré porque me ama; lo protegeré porque reconoce
mi nombre. Me llamará y yo le responderé; estaré con él cuando
se encuentre en dificultades; lo rescataré y haré que le rindan honores.
Haré que disfrute de una larga vida y le mostraré mi salvación."
Salmo 91:14-16 PDT

Reflexión para ti...

¿Amas a Dios?, ¿Reconoces quién es?

Dios honra a los que le honran.

Él tiene el poder de responderte, rescatarte y honrarte. Como si eso fuera poco, también puede darte la salvación. Reconoce Su autoridad en tu vida, confía en Su poder y Él estará presto a responderte y bendecirte.

Pon tu nombre en este verso, personalízalo y reclama hoy Su poder.

Mi conversación con Dios...

_____
_____
_____
_____
_____
_____
_____
_____
_____

Gracias Señor...

"... porque el Señor ama la justicia y nunca abandona
a sus fieles seguidores; ellos siempre estarán protegidos."
Salmo 37:28 PDT

Reflexión para ti. . .

Dios nunca abandona a los que le aman y le son fieles. Su promesa de protección es poderosa. ¡No te canses de seguirle! Él nunca se cansa de protegerte.

Mi conversación con Dios...

_____

_____

_____

_____

_____

_____

_____

_____

_____

Gracias Señor. . .

"... Dios ama a los que dan con alegría. Dios tiene el poder de darles más bendiciones de las que necesitan para que siempre tengan lo suficiente para ustedes y también para que puedan ayudar generosamente a toda buena causa." 2 Corintios 9:7b–8 PDT

Reflexión para ti...

El poder de Dios se manifiesta en bendiciones. Su amor multiplica esas bendiciones para nuestro propio bienestar, pero también para que podamos cumplir con Su propósito de ayudar a otros. Al ayudar a otros nos hacemos canal para que Su poder se multiplique. Cuando des gracias por las bendiciones recibidas, reflexiona en cómo compartirlas.

Mi conversación con Dios...

_____

_____

_____

_____

_____

_____

_____

_____

Gracias Señor...

"Le pido a mi Dios que les dé a ustedes todo lo que necesitan conforme a las espléndidas riquezas que tiene en Jesucristo."
Filipenses 4:19 PDT

Reflexión para ti. . .

Dios es el Creador y dueño del universo.

La escasez no es problema para Él. ¿Qué te detiene a interceder por otros? Sé generoso con la intercesión, pide por la necesidad de otros.

Mi conversación con Dios...

_____
_____
_____
_____
_____
_____
_____
_____
_____
_____

Gracias Señor. . .

"Dios dice: Dejen de pelear y acepten que yo soy Dios.
Yo gobierno a las naciones, y controlo al mundo entero. El Señor
Todopoderoso está con nosotros. El Dios de Jacob es nuestro refugio."
Salmo 46:10-11 PDT

Reflexión para ti. . .

¿Has notado cómo los líderes de los países están en continuo conflicto entre sí? Al igual que ellos, nosotros entramos en conflictos por querer lograr nuestras metas con nuestros propios esfuerzos. Dios nos da la solución: acogerse a Su control. Él tiene el poder y si lo dejamos reinar, lo hará sabiamente y para nuestro bienestar.

Mi conversación con Dios...

_____

_____

_____

_____

_____

_____

_____

_____

Gracias Señor. . .

"Dios te salvará de los peligros escondidos y de las enfermedades peligrosas: pues te protegerá con sus alas y bajo ellas hallarás refugio. Su fidelidad será tu escudo y tu muralla protectora."
Salmo 91:3-4 PDT

Reflexión para ti...

Si alguna vez has sentido la necesidad de un refugio donde protegerte de los problemas, puedes imaginar cómo se siente estar escondido bajo las alas del Todopoderoso. Se siente tan seguro como un polluelo indefenso bajo las alas de una mamá gallina fuerte y protectora. Esas alas siempre están abiertas para recibirnos. Ven corriendo y cúbrete.

Mi conversación con Dios...

_____
_____
_____
_____
_____
_____
_____
_____
_____

Gracias Señor...

Tesoro de Poder que Dios te regala hoy

"Yo lo salvaré porque confió en mí; lo protegeré porque reconoce
mi nombre. Me llamará y yo le responderé; estaré con él
cuando se encuentre en dificultades; lo rescataré y haré
que le rindan honores." Salmo 91:14–15 PDT

Reflexión para ti...

Nota todo lo que el verso afirma que Dios tiene y quiere para ti: Dios tiene el poder y el deseo de salvarnos, protegernos, respondernos, acompañarnos, rescatarnos y darnos reconocimientos.

¿Necesitas ahora alguna de estas cosas? Confía en Él, reconoce Su poder y llámalo.

Mi conversación con Dios...

_____
_____
_____
_____
_____
_____
_____
_____
_____

Gracias Señor...

*"Tú les das paz a los que mantienen pensando en Tí
porque en Tí han puesto su confianza. Confía siempre en el Señor,
porque el Señor Dios es refugio eterno."* Isaías 26:3–4 PDT

Reflexión para ti...

¿Tienes necesidad de paz? Para que nuestra paz no dependa de las circunstancias que nos rodean, debemos poner toda nuestra confianza en Dios. Esa es la confianza que nos brindará paz puesto que sabremos que no importa lo que suceda, El cuidará de nosotros hasta la eternidad.

Mi conversación con Dios...

_____
_____
_____
_____
_____
_____
_____
_____
_____

Gracias Señor...

"Pues estoy convencido de que ni la muerte ni la vida, ni los ángeles ni los poderes diabólicos, ni lo presente ni lo que vendrá en el futuro, ni poderes espirituales, ni lo alto ni lo profundo, ni nada de lo que existe podrá separarnos del amor de Dios que se encuentra en nuestro Señor Jesucristo." Romanos 8:38–39 PDT

Reflexión para ti. . .

No importa cuán fuerte o débil sean tu fe y tu amor por Él, Su amor por ti es poderoso. No hay nada que pueda hacer que Dios deje de amarte. No hay nada en este mundo que pueda hacer que Dios se arrepienta de haber dado a Su hijo Jesucristo para tu salvación.

¡Alábalo por eso!

Mi conversación con Dios...

_____

_____

_____

_____

_____

_____

_____

_____

Gracias Señor. . .

*"Si a alguno de ustedes le falta sabiduría, pídasela a Dios,
y Él se la dará. Dios es generoso y nos da todo con agrado."*
Santiago 1:5 PDT

Reflexión para ti. . .

¿Cuántas veces has sentido que necesitas sabiduría? ¿Cuántas veces te has preguntado a dónde ir a buscarla?

¡Qué tranquilidad se siente saber que a Dios le gusta que le pidamos sabiduría! No le molesta, por el contrario, se agrada de poder dárnosla con abundancia.

¿Qué esperas? Reconoce que Él tiene toda la sabiduría que te falta y pídesela con humidad. Él está esperando con las manos llenas.

Mi conversación con Dios...

_____

_____

_____

_____

_____

_____

_____

_____

_____

_____

Gracias Señor. . .

Tesoro de Poder que Dios te regala hoy

"Dios es capaz de cuidarnos para que no caigamos,
y puede también hacernos entrar a su presencia gloriosa
con gran alegría y sin falta alguna. Él es el único Dios y
Salvador nuestro..." Judas 24–25a PDT

Reflexión para ti. . .

Dios tiene el poder de ayudarnos en nuestros momentos de tentación para que no caigamos. Pero, si caemos, también tiene el poder de limpiarnos. Si has aceptado el sacrificio de Jesucristo en la cruz, estarás un día ante Su presencia, limpio como si no hubieses caído jamás.

Mi conversación con Dios...

_____
_____
_____
_____
_____
_____
_____
_____

Gracias Señor. . .

"El Señor es bueno. Es refugio en tiempos difíciles
y protector de los que acuden a Él."
Nahum 1:7 PDT

Reflexión para ti...

Repite todos los días, y a cada momento: DIOS ES BUENO. Si crees esto firmemente, podrás ver Su bondad y protección manifestadas en tu vida siempre, aún en los momentos difíciles.

Así como tú eres bueno con los que amas, Él es bueno contigo: Él te ama.

Mi conversación con Dios...

_____
_____
_____
_____
_____
_____
_____
_____
_____

Gracias Señor...

"El Señor ocupa el lugar más alto por encima de todos los demás,
pero, aun así, Él nunca abandona a los humildes. Él siempre sabe
lo que hacen los soberbios y se mantiene alejado ellos."
Salmo 138: 6 PDT

Reflexión para ti. . .

La soberbia puede separarte de la presencia de Dios y de sus bendiciones. Creer que sabes y puedes más que Él, creer que no lo necesitas en tu vida, es una pared de separación que tú mismo construyes. Él, que tiene toda la sabiduría y todo el poder, desea estar cerca de ti.

Sé humilde y dale a Él la honra.

Mi conversación con Dios...

_____
_____
_____
_____
_____
_____
_____
_____
_____

Gracias Señor. . .

"Así que no pierdan la valentía que tenían antes, pues tendrán una gran recompensa. Tengan paciencia y hagan la voluntad de Dios para que reciban lo prometido." Hebreos 10:35–36 PDT

Reflexión para ti...

La vida cristiana es una carrera de resistencia. En el camino podemos cansarnos y desanimarnos. La clave para no retirarnos de la carrera es mantener la vista fija en la meta: la promesa de salvación eterna.

Aparta la vista de los tropiezos del camino: fija la vista en la meta.

Mi conversación con Dios...

_____
_____
_____
_____
_____
_____
_____
_____
_____

Gracias Señor...

"SEÑOR, Tú cumplirás lo que has prometido hacer para mí. SEÑOR,
Tu fiel amor es para siempre; por eso sé que no abandonarás
a quienes tú mismo creaste." Salmo 138: 8 PDT

Reflexión para ti. . .

La sabiduría, el poder y el amor de Dios existe en tres tiempos: pasado, presente y futuro. Te creó, te cuida y te promete compañía para siempre. Así como te trajo hasta hoy, Su fiel amor te acompaña para siempre.

No dudes de Su poder para cumplir Sus promesas:

Ayer, hoy y mañana.

Mi conversación con Dios...

_____

_____

_____

_____

_____

_____

_____

_____

_____

Gracias Señor...

Pensamientos

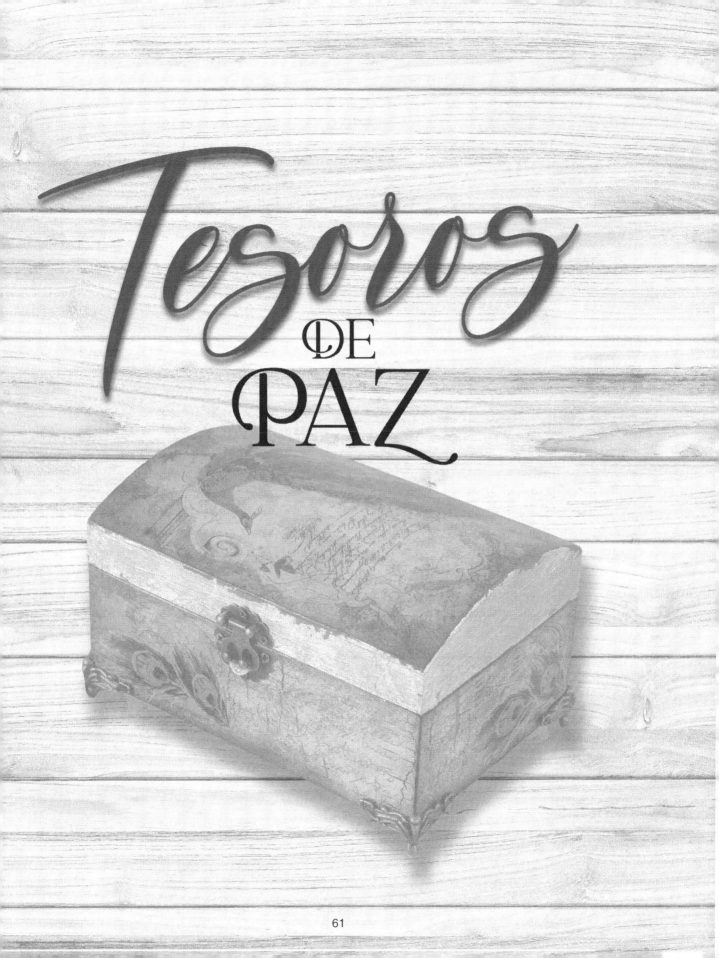

Tesoros DE PAZ

"En completa paz me acuesto y me duermo,
porque tú, SEÑOR, me haces vivir tranquilo."
Salmo 4:8 PDT

Reflexión para ti...

Parece que la hora de dormir es la preferida para que todas nuestras ansiedades y temores se manifiesten y ataquen nuestra paz. El salmista no era ajeno a ésto, pero había identificado la solución: confiar en el Señor.

En esas horas en las que la ansiedad y las preocupaciones no te dejan descansar, habla con Dios. Aprovecha para darle gracias por las bendiciones y cuidados que te ha provisto hasta ahora. Recuerda Sus promesas y confía en que Él siempre las cumple. Si tu memoria te falla, escribe esas promesas en tarjetas y tenlas junto a tu cama. Es un ejercicio de pasado (lo que ha hecho antes), presente (las promesas que te hace) y futuro (el descanso de saber que Él cumplirá lo que prometió).

¡Descansa en Su fidelidad!

Mi conversación con Dios...

_____

_____

_____

_____

_____

Gracias Señor...

"Confía en el SEÑOR con todo tu corazón; no dependas de tu propio entendimiento. Busca su voluntad en todo lo que hagas, y Él te mostrará cuál camino tomar." Proverbios 3:5-6 NTV

Reflexión para ti...

Tener que tomar decisiones con la inseguridad que produce nuestro desconocimiento, nuestros temores y nuestras limitaciones, nos roba la paz. ¡Qué alivio saber que podemos poner nuestra confianza y depender de la sabiduría, el poder y el amor de Dios! No tienes que tomar decisiones solo, busca Su dirección y entrégale tu ansiedad.

Mi conversación con Dios...

_____

_____

_____

_____

_____

_____

_____

_____

_____

_____

Gracias Señor...

Tesoro de Paz que Dios te regala hoy

"El SEÑOR es compasivo y misericordioso, lento para enojarse
y está lleno de amor inagotable." Salmo 103:8 NTV

Reflexión para ti...

La culpa y el remordimiento son ladrones de paz. ¿Quieres deshacerte de ellos? Habla con Dios hoy confiando en que Él te escucha con amor y con misericordia. Es un Padre compasivo en espera de que te acerques con humildad.

Mi conversación con Dios...

_____
_____
_____
_____
_____
_____
_____
_____
_____

Gracias Señor...

*"En mi angustia oré al SEÑOR, y el SEÑOR me respondió
y me liberó. El SEÑOR está de mi parte, por tanto, no temeré.
¿Qué me puede hacer un simple mortal?"*
Salmo 118:5–6 NTV

Reflexión para ti...

Todos hemos tenido momentos de angustia. Buscar salidas en el sitio o persona equivocada puede empeorar la situación. No estás solo, el salmista también sabía lo que era la angustia ... pero sabía a quién recurrir. ¿Quién tiene más poder que Él? Dios está disponible y accesible para ti ahora mismo.

Llámalo y pon en Sus manos tu angustia.

Mi conversación con Dios...

_____
_____
_____
_____
_____
_____
_____
_____
_____
_____

Gracias Señor...

Tesoro de Paz que Dios te regala hoy

"Que los malvados cambien sus caminos y alejen de sí
hasta el más mínimo pensamiento de hacer el mal.
Que se vuelvan al SEÑOR, para que les tenga misericordia.
Sí, vuélvanse a nuestro Dios, porque Él perdonará
con generosidad." Isaías 55:7 NTV

Reflexión para ti...

Es posible que tu falta de paz se deba a pecados que has cometido y que sabes que manchan tu relación con Dios. Si ese es el caso, este verso tiene tu solución. Cambiar el camino, volverse a Dios, y pedirle misericordia y perdón. Dios nos perdona con generosidad si lo buscamos y nos volvemos a Él. El mayor tesoro de paz es sabernos en armonía con Él. Pídele perdón hoy y confía en Su misericordia. Sentirás Su Paz.

Mi conversación con Dios...

_____
_____
_____
_____
_____
_____
_____
_____
_____

Gracias Señor...

"Que toda la alabanza sea para Dios, el Padre de nuestro Señor Jesucristo. Es por su gran misericordia que hemos nacido de nuevo, porque Dios levantó a Jesucristo de los muertos. Ahora vivimos con gran expectación y tenemos una herencia que no tiene precio, una herencia que está reservada en el cielo para ustedes, pura y sin mancha, que no puede cambiar ni deteriorarse. Por la fe que tienen, Dios los protege con su poder hasta que reciban esta salvación, la cual está lista para ser revelada en el día final, a fin de que todos la vean." 1 Pedro 1:3–5 NTV

Reflexión para ti...

Saber que tenemos una tarea incompleta, que está esperando a que hagamos algo para que se cumpla, es una fuente grande de ansiedad. Mientras sabemos que la tarea está incompleta, nuestra mente y emociones están acelerados alrededor de lo que falta por hacer.

¡Qué bendición de paz tan grande es saber que nuestra salvación no depende de nada que falte por hacer! Está completada.

No por nuestros hechos sino por la misericordia de Dios. El plan de salvación no cambia, no se deteriora. Todo está completo, esperando el tiempo de Dios. ¡Cree y confía en Su regalo!

Mi conversación con Dios...

_____

_____

_____

_____

Gracias Señor...

"¡Así que sé fuerte y valiente! No tengas miedo ni sientas pánico
frente a ellos, porque el SEÑOR tu Dios, Él mismo irá delante de ti.
No te fallará ni te abandonará." Deuteronomio 31:6-8 NTV

Reflexión para ti. . .

Una de las cosas que más fácilmente nos roba la paz, es el temor. ¿Has sentido temor alguna vez? Yo creo que todos lo hemos sentido. Por eso este verso es tan especial. Dios va delante de ti. No te falla ni te abandona. Si Dios, que es Todopoderoso, todo lo puede, todo lo sabe y te ama incondicionalmente, va delante de ti abriendo camino, entrégale tu temor.

Entregarle tu temor te dará Su paz.

Mi conversación con Dios...

_____

_____

_____

_____

_____

_____

_____

_____

_____

Gracias Señor. . .

"Tu amor inagotable, oh SEÑOR, es tan inmenso como los cielos;
Tu fidelidad sobrepasa las nubes. ¡Qué precioso es tu amor inagotable,
oh Dios! Todos los seres humanos encuentran refugio
a la sombra de tus alas." Salmo 36:5, 7 NTV

Reflexión para ti. . .

La inseguridad es un ladrón de paz. Si necesitas paz, pon tus inseguridades en las manos poderosas de Dios. Nota que este verso menciona las características de Dios que sobrepasan tu inseguridad:

Su amor por ti es inagotable, no se acaba con el uso; Su amor por ti es inmenso como el cielo, Dios NUNCA falla, Su fidelidad es mayor que lo que conocemos y vemos. Su presencia nos refresca como una sombra oportuna. ¡Sujétate de Su fidelidad y recibe Su paz!

Mi conversación con Dios...

_____
_____
_____
_____
_____
_____
_____
_____
_____
_____

Gracias Señor. . .

"¡Siempre cantaré acerca del amor inagotable del SEÑOR!
Jóvenes y ancianos oirán de tu fidelidad. Tu amor inagotable
durará para siempre: Tu fidelidad es tan perdurable
como los cielos." Salmo 89:1–2 NTV

Reflexión para ti...

Los seres humanos fallamos muchas veces. Aún en nuestras mejores intenciones, podemos fallar. Por eso sabemos que otra gente también nos puede fallar y eso nos quita paz. Pero… Dios no falla, Su amor es inagotable, Su fidelidad es para todos por igual, Su fidelidad, a diferencia de la humana, es eterna. ¡Dale gracias a Dios hoy porque puedes descansar en Su fidelidad!

Mi conversación con Dios...

_____
_____
_____
_____
_____
_____
_____
_____

Gracias Señor...

"No obstante, aún me atrevo a tener esperanza cuando recuerdo lo siguiente: ¡El fiel amor del SEÑOR nunca se acaba! Sus misericordias jamás terminan. Grande es Su fidelidad: Sus misericordias son nuevas cada mañana. Me digo: «El SEÑOR es mi herencia, por lo tanto, ¡esperaré en Él!». El SEÑOR es bueno con los que dependen de Él, con aquellos que lo buscan. Por eso es bueno esperar en silencio la salvación que proviene del SEÑOR." Lamentaciones 3:21–26 NTV

Reflexión para ti...

¿Te ha pasado que, ante un evento incierto, tienes temor al futuro? ¿Has sentido temor porque no sabes qué esperar? Este verso te recuerda: ¡El fiel amor del SEÑOR nunca se acaba! Sus misericordias jamás terminan. ¡!Puedes poner tu esperanza en ÉL!!!

Su misericordia es nueva cada mañana. Hoy no tiene que ser como ayer, mañana no tiene que ser como hoy. Búscalo y descansa en Él.

Mi conversación con Dios...

_____

_____

_____

_____

_____

_____

_____

_____

_____

Gracias Señor...

"Dios lo hará porque Él es fiel para hacer lo que dice
y los ha invitado a que tengan comunión con su Hijo,
Jesucristo nuestro Señor." 1 Corintios 1:9 NTV

Reflexión para ti...

Dios hará lo que dijo que hará. Eso es fe. Creer y confiar en que Dios puede y quiere cumplir Sus promesas. Si Él lo dijo, Él lo hará. La comunión con Jesús nos permitirá conocer Sus promesas y eso nos dará Su paz. Busca la comunión con Jesús y confía en que Dios quiere tu bien y puede hacer que Su voluntad se cumpla.

Mi conversación con Dios...

_____
_____
_____
_____
_____
_____
_____
_____
_____

Gracias Señor...

> "Pues tú, SEÑOR, bendices al que te obedece,
> como un escudo lo cubres con tu favor."
> Salmo 5:12 PDT

Reflexión para ti...

Imagínate un escudo de protección a tu alrededor... Dios le ha prometido ese escudo a los que lo buscan y lo obedecen. No es un escudo frágil, barato o de baja calidad; no es un escudo improvisado.

¡Es el escudo del TODOPODEROSO!

¡Úsalo con confianza y paz!

Mi conversación con Dios...

_____
_____
_____
_____
_____
_____
_____
_____
_____

Gracias Señor...

"Nuestro Dios es como un castillo que nos brinda protección.
Dios siempre nos ayuda cuando estamos en problemas.
Aunque tiemble la tierra y se hundan las montañas hasta el fondo del
mar; aunque se levanten grandes olas y sacudan los cerros
con violencia, ¡no tendremos miedo!" Salmo 46:1-3 TLA

Reflexión para ti. . .

Este verso me hace imaginar una escena de película donde el protagonista está tratando de escapar de desastres que vienen persiguiéndolo y encuentra un castillo que lo acoge y lo protege. En nuestra vida también a veces nos sentimos perseguidos por crisis y desastres y sentimos que necesitamos urgentemente un refugio de paz. El salmista nos recuerda que Dios es como ese castillo que nos da albergue y protección: está ahí, poderoso e indestructible, dispuesto a cobijarnos en Su presencia. ¡Entra!

No tengas miedo. ¡Él tiene la puerta abierta para ti!

Mi conversación con Dios...

Gracias Señor. . .

"Los que viven al amparo del Altísimo encontrarán descanso
a la sombra del Todopoderoso. Declaro lo siguiente acerca del SEÑOR:
Solo Él es mi refugio, mi lugar seguro; Él es mi Dios y en Él confío."
Salmo 91:1–2 NTV

Reflexión para ti...

La efectividad de tu protección depende de quién te provee esa protección. Si tu seguridad depende de un techo frágil, de un líder débil e ignorante, de recursos humanos temporales, de tus emociones vacilantes, de una relación enfermiza... así mismo será protección: frágil, débil, temporal, vacilante y enfermiza.

Declara hoy como el salmista que tu refugio y tu lugar seguro es Dios: todopoderoso, indestructible, eterno y firme.

Mi conversación con Dios...

_____

_____

_____

_____

_____

_____

_____

_____

_____

Gracias Señor...

"...No tengas miedo, porque he pagado tu rescate; te he llamado por tu nombre; eres mío. Cuando pases por aguas profundas, yo estaré contigo. Cuando pases por ríos de dificultad, no te ahogarás. Cuando pases por el fuego de la opresión, no te quemarás; las llamas no te consumirán. Pues yo soy el SEÑOR, tu Dios, el Santo de Israel, tu Salvador..." Isaías 43:1b-3a NTV

Reflexión para ti...

Las aguas profundas, los ríos agitados y el fuego son ejemplos literales de situaciones atemorizantes. En otro nivel, representan aquellas situaciones en la vida que nos enfrentan a nuestras limitaciones y nuestras vulnerabilidades. Esas situaciones que pensamos que van a acabar con nosotros.

Dios nos asegura en este verso que somos suyos, no estamos huérfanos ni abandonados: ¡Él es nuestro Señor y Salvador!

No niega que enfrentaremos aguas profundas, ríos agitados o fuego: la promesa es que, en esos momentos, Él está con nosotros. La promesa es que, con Él, con Su ayuda, superaremos los peligros. Si hoy estás enfrentando situaciones atemorizantes que crees que van a acabar contigo, pon tu confianza en el que te acompaña y no te dejará ahogar ni consumir.

Declara que Dios es tu Señor, tu Salvador. Siente la paz de saberte suyo.

Mi conversación con Dios...

_____
_____
_____
_____
_____

Gracias Señor...

Mis seguidores me conocen, y yo también los conozco a ellos. Son como las ovejas, que reconocen la voz de su pastor, y Él las conoce a ellas. Mis seguidores me obedecen, y yo les doy vida eterna; nadie me los quitará. Dios mi Padre me los ha dado; Él es más poderoso que todos, y nadie puede quitárselos." Juan 10:27-29 TLA

Reflexión para ti...

¡Dios te conoce!

No hay mayor paz que cuando estamos perdidos y confundidos en algún lugar, y de momento vemos a alguien conocido. ¿Te ha pasado? Pues este verso te recuerda que Dios te conoce. Conoce tu nombre, conoce tus debilidades, conoce tus puntos fuertes, conoce lo que añoras, conoce tus sentimientos escondidos... y aún así te ama y te reclama como suyo. Nadie pude quitarte de Su mano porque eres suyo para la eternidad por la obra de Jesús en la cruz. Si en algún momento te sientes perdido, débil, rechazado, incapaz, derrotado, abrumado, necesitado de paz...

Escucha Su voz llamándote. Reconoce Su voz en medio de todas las demás voces confusas. Siente la paz de saberte conocido, amado y suyo.

Mi conversación con Dios...

_____
_____
_____
_____
_____

Gracias Señor...

"Les dejo un regalo: paz en la mente y en el corazón.
Y la paz que yo doy es un regalo que el mundo no puede dar.
Así que no se angustien ni tengan miedo." Juan 14:27 NTV

Reflexión para ti...

Me encanta recibir regalos. También me gusta darlos. Tengo que reconocer que usualmente hago regalos valiosos (en dinero o en intención) a la gente que es importante para mí. Por eso me emociona la idea de que Dios me haya dado un regalo. Porque para mí es una evidencia de que soy importante para El. No solo eso, sino que no me lo dio porque yo lo mereciera, no tuve que ser buena para que me lo diera: me lo dio SOLO porque me ama. Mejor aún, me dio justamente el regalo que sabe que necesito. No cualquier regalo escogido a la prisa: me regaló la salvación y me regaló la paz que nadie más me puede dar. Me regaló paz que no depende de las circunstancias externas, sino la paz que nace y vive en mi mente y mi corazón. ¡Esa es la paz que necesito para defenderme del miedo y la angustia! Como me la regaló a mí, también te la regala a ti hoy. Es un regalo, ¡acéptalo!

Mi conversación con Dios...

_____
_____
_____
_____

Gracias Señor...

> "Pues Dios no nos ha dado un espíritu de temor
> y timidez sino de poder, amor y autodisciplina."
> 2 Timoteo 1:7 NTV

Reflexión para ti...

Todos hemos sentido temor y timidez en algún momento. Unos más que otros. Dios lo sabe y sabe que batallamos con el temor a diario. Por eso, entre las cosas que nos ha provisto en nuestra relación con Él, es el poder, amor y autodisciplina de Su Espíritu.

Cuando vuelvas a pensar que no puedes, no sabes o no te atreves, recuerda que Dios te ha suplido ya de poder, amor y autodisciplina. Esos atributos están ya en ti. Respira profundo, tú no puedes, pero Él puede en ti.

Mi conversación con Dios...

_____

_____

_____

_____

_____

_____

_____

_____

_____

_____

Gracias Señor...

"Por lo tanto, comprométete de todo corazón a cumplir estas palabras que te doy. Átalas a tus manos y llévalas sobre la frente para recordarlas. Enséñalas a tus hijos. Habla de ellas en tus conversaciones cuando estés en tu casa y cuando vayas por el camino, cuando te acuestes y cuando te levantes. Escríbelas en los marcos de la entrada de tu casa y sobre las puertas de la ciudad para que, mientras el cielo esté sobre la tierra, tú y tus hijos prosperen en la tierra que el SEÑOR juró dar a tus antepasados." Deuteronomio 11:18-21 NTV

Reflexión para ti. . .

Si hay algo que como padres anhelamos para nuestros hijos, es prosperidad. Esa prosperidad, puede estar vestida de diferentes colores, dependiendo de quién la pide y sus prioridades: económica, emocional, social, profesional, y otros. Estos versos nos recuerdan que la prosperidad que es el núcleo para todas las demás, es la prosperidad espiritual. La abundancia que nace de una relación personal con Dios.

Si te inquieta el futuro de tus hijos, empieza por pedir para ellos la prosperidad espiritual. Comprométete a alimentarlos con la Palabra de Dios: en todas partes y en todo momento. Que a cada paso que den, tropiecen con la Palabra de Dios. Su Palabra dará fruto en Su tiempo.

Mi conversación con Dios...

_____

_____

_____

_____

_____

Gracias Señor...

"El SEÑOR es bueno, un refugio seguro
cuando llegan dificultades. Él está cerca de
los que confían en él." Nahum 1:7 NTV

Reflexión para ti. . .

¿Conoces a alguien con quien sabes que puedes contar en cualquier momento? ¿Alguien a quien te atreves llamar en cualquier momento y tienes la seguridad de que va a contestar? ¿Alguien que cuando te dice que se va a encargar de algo, puedes descansar en que lo hará? Tal vez ha venido a tu mente un nombre conocido: da gracias por esa persona que Dios ha puesto en tu vida para sostenerte y apoyarte. Hoy Nahum nos recuerda que todos tenemos a Dios para esos momentos de dificultad. Él está cerca, es refugio confiable y seguro. Podemos llamarlo y estar descansados en que Él nos contestará y hará lo que dijo que haría.

¡Señor, en ti confío!

Mi conversación con Dios...

_____
_____
_____
_____
_____

Gracias Señor. . .

"Pongan todas sus preocupaciones y ansiedades en las manos de Dios, porque Él cuida de ustedes.... En su bondad, Dios los llamó a ustedes a que participen de su gloria eterna por medio de Cristo Jesús. Entonces, después de que hayan sufrido un poco de tiempo, Él los restaurará, los sostendrá, los fortalecerá y los afirmará sobre un fundamento sólido." 1Pedro 5:7, 10 NTV

Reflexión para ti. . .

Dios es bueno, y porque es bueno, nos llamó a participar con Él en la gloria eterna. Puede que hoy haya sufrimientos y dificultades, preocupaciones y ansiedades, pero Dios nos promete (y te aseguro que Él siempre cumple):

Restauración, sostén, fortaleza, fundamento sólido

¡Él cuida de tí!

Mi conversación con Dios...

_____
_____
_____
_____
_____
_____
_____
_____
_____

Gracias Señor...

"El SEÑOR es un refugio para los oprimidos, un lugar seguro en tiempos difíciles. Los que conocen tu nombre confían en ti, porque Tú, oh SEÑOR, no abandonas a los que te buscan." Salmo 9:9-10 NTV

Reflexión para ti. . .

Ha habido ocasiones en las que no sabemos a dónde o a quien recurrir para atender una dificultad o una necesidad. En esos momentos buscamos referencias: ¿qué médico me recomiendas para…?, ¿conoces a algún profesional que pueda orientarme?, ¿A dónde tengo que ir para …?

Los que conocemos al Señor podemos recomendarlo: Él es un refugio seguro en nuestros momentos de dificultad. ¡Te lo recomiendo!

Mi conversación con Dios…

_____

_____

_____

_____

_____

_____

_____

_____

_____

Gracias Señor…

"Entrégale tus cargas al SEÑOR, y Él cuidará de ti;
no permitirá que los justos tropiecen y caigan."
Salmo 55:22 NTV

Reflexión para ti...

¿Alguna vez has tratado de llevar una carga demasiado pesada para tu capacidad física? Estoy segura de que en ese momento te sientes inseguro, vulnerable, temeroso a lesionarte, temeroso a caerte. Aún así insistes en llevar la carga, aunque en el fondo sabes que no es seguro. Insistes por vanidad, orgullo, autosuficiencia, o sencillamente testarudez, aunque sabes que deberías buscar ayuda. En el nivel espiritual, este verso te recuerda que Dios quiere y puede ayudarte con esa carga. Dios está ahí, esperando que le entregues la carga para que no tropieces y caigas. ¿Qué te impide entregarle la carga?

Mi conversación con Dios...

_____
_____
_____
_____
_____
_____
_____

Gracias Señor...

"¡Canten alabanzas a Dios y a Su nombre! Canten alabanzas en alta voz al que cabalga sobre las nubes. Su nombre es el SEÑOR; ¡alégrense en Su presencia! Padre de los huérfanos, defensor de las viudas, este es Dios y Su morada es santa. Dios ubica a los solitarios en familias; pone en libertad a los prisioneros y los llena de alegría..." Salmo 68:4-6ª NTV

Reflexión para ti. . .

Es significativo que estos versos describen a un Dios poderoso, merecedor de alabanza, que está en el cielo: pero Su altura no lo hace un Dios lejano o ajeno a nuestra necesidad. Es Dios que conoce nuestras necesidades y está presente. Conoce la inseguridad de los huérfanos, la vulnerabilidad de las viudas, la soledad de los que no tienen familia, la tristeza de la cautividad... Cualquiera sea tu situación, Dios está presente y dispuesto a ser tu Padre, tu esposo, tu familia, tu liberador... ¡Alégrate en Su presencia!

Mi conversación con Dios...

_____
_____
_____
_____
_____
_____
_____
_____
_____

Gracias Señor. . .

"No tengas miedo, porque yo estoy contigo; no te desalientes, porque yo soy tu Dios. Te daré fuerzas y te ayudaré; te sostendré con mi mano derecha victoriosa." Isaías 41:10 NTV

Reflexión para ti...

El miedo y el desaliento son malos compañeros de la soledad. Has tenido, tienes y tendrás momentos de desaliento y temor.

Pero… ¡no tienes que luchar solo! Busca y acepta la ayuda y sostén que Dios te ofrece. Él tiene Su mano poderosa extendida hacia ti: aférrate a esa mano que canta victorias.

Mi conversación con Dios...

_____

_____

_____

_____

_____

_____

_____

_____

_____

Gracias Señor...

"Dijo: «¡Escuchen habitantes de Judá y de Jerusalén! ¡Escuche, rey Josafat! Esto dice el SEÑOR: "¡No tengan miedo! No se desalienten por este poderoso ejército, porque la batalla no es de ustedes sino de Dios. ...Sin embargo, ustedes ni siquiera tendrán que luchar. Tomen sus posiciones; luego quédense quietos y observen la victoria del SEÑOR. Él está con ustedes, pueblo de Judá y de Jerusalén. No tengan miedo ni se desalienten. ¡Salgan mañana contra ellos, porque el SEÑOR está con ustedes!"»." 2 Crónicas 20:15,17 NTV

Reflexión para ti...

Nuestra vida está llena de batallas: fuertes y debilitantes. No hay mayor fuente de paz que saber que somos parte de Su ejército, que el Dios Todopoderoso está peleando a nuestro lado y que la victoria ya ha sido anunciada. Temerosos y desalentados deberíamos estar si Él estuviera del bando contrario. ¡Eso sí que sería aterrador!

Seamos soldados o reyes, tenemos una posición en el ejército: nos toca hacer nuestra parte y confiar en la victoria del Señor. El Señor está contigo, La victoria está garantizada por Su poder y Su presencia.

¡No tengas miedo!

Mi conversación con Dios...

_____

_____

_____

_____

_____

Gracias Señor...

"Si me aman, obedezcan mis mandamientos. Y yo le pediré al Padre,
y él les dará otro Abogado Defensor, quien estará con ustedes para
siempre. Me refiero al Espíritu Santo, quien guía a toda la verdad.
El mundo no puede recibirlo porque no lo busca ni lo reconoce;
pero ustedes sí lo conocen, porque ahora Él vive con ustedes
y después estará en ustedes. No los abandonaré
como a huérfanos; vendré a ustedes." Juan 14:15–18 NTV

Reflexión para ti. . .

No importa cuán ignorante y débil yo soy, no se trata de quién yo soy. Se trata de a quién tengo de mi parte. Tengo un Abogado Defensor personal, que vive conmigo y en mí.

El plan perfecto de Dios incluía dejarnos un abogado personal, a tiempo completo. Un abogado que nos guía, aconseja, consuela, defiende, enseña. Un abogado que nunca se equivoca y tiene mi bienestar como prioridad. No lo tengo que pagar, ya Jesús lo pagó.

Solo tengo que amar a Jesús y obedecerlo. ¡Qué regalo tan precioso!

Mi conversación con Dios...

_____

_____

_____

_____

_____

Gracias Señor...

"Cuando mi mente se llenó de dudas, tu consuelo renovó
mi esperanza y mi alegría." Salmo 94:19 NTV

Reflexión para ti...

La mente es un campo de batalla donde se pelean grandes guerras entre nuestro conocimiento, nuestras emociones y nuestra fe. Cuando tus emociones te llenen de dudas, batalla usando la Palabra de Dios. Esa Palabra te renueva con esperanza y alegría.

Mi conversación con Dios...

_____

_____

_____

_____

_____

_____

_____

_____

_____

Gracias Señor...

"Por eso les digo que no se preocupen por la vida diaria,
si tendrán suficiente alimento y bebida, o suficiente ropa para vestirse.
¿Acaso no es la vida más que la comida y el cuerpo más que la ropa?...
Si Dios cuida de manera tan maravillosa a las flores silvestres
que hoy están y mañana se echan al fuego, tengan por seguro
que cuidará de ustedes. ¿Por qué tienen tan poca fe?...
...pero su Padre celestial ya conoce todas sus necesidades.
Busquen el reino de Dios por encima de todo lo demás y lleven una
vida justa, y Él les dará todo lo que necesiten." Mateo 6:25, 30, 33 NTV

Reflexión para ti...

El afán por las preocupaciones es absorbente y toma control de nuestras emociones, tiempo y fuerzas. Nos envuelve de manera que no da espacio para pensar en nada más que en nuestra preocupación. Pregúntate cuánto tiempo y energías dedicas a preocuparte. Pueden ser preocupaciones válidas: el alimento, las necesidades básicas, tu familia... Está bien que te ocupes de ellas, pero el verso te invita a no dejar que te absorban tanto que olvides que tienes al Dios que es dueño de todo lo creado, al Dios todopoderoso de tu lado. Confía y pon tu prioridad en la provisión y amor de Dios hacia ti. Este verso no es una invitación a una vida contemplativa de despreocupación y dejadez. Es una invitación a evaluar y redefinir tus prioridades y a poner tus preocupaciones en su lugar: en las manos de Dios.

Mi conversación con Dios...

_____
_____
_____
_____

Gracias Señor...

"Cuando los arresten, no se preocupen por cómo responder o qué decir. Dios les dará las palabras apropiadas en el momento preciso. Pues no serán ustedes los que hablen, sino que el Espíritu de su Padre hablará por medio de ustedes." Mateo 10:19-20 NTV

Reflexión para ti...

¿Alguna vez te has preguntado cómo actuarías, cómo contestarías si eres perseguido por tu fe en Cristo?

En nuestra vida diaria muchas veces nos atemorizamos por la reacción de personas a las que quisiéramos compartir nuestra fe y nuestro testimonio. Este verso es nuestra esperanza: Si estamos en comunión con Dios y en sintonía con el Espíritu que habita en nosotros, Él nos dará las palabras indicadas, en el momento indicado. No dependo de mi mente, sino del Espíritu obrando en mí. ¡Eso me da paz!

Mi conversación con Dios...

_____

_____

_____

_____

_____

_____

_____

_____

_____

Gracias Señor...

"No se preocupen por nada; en cambio, oren por todo. Díganle a Dios lo que necesitan y denle gracias por todo lo que Él ha hecho. Así experimentarán la paz de Dios, que supera todo lo que podemos entender. La paz de Dios cuidará su corazón y su mente mientras vivan en Cristo Jesús." Filipenses 4:6-7 NTV

Reflexión para ti. . .

Sustituir la preocupación por oración… Sustituir la inseguridad por confianza y gratitud… En lugar de dejar que las preocupaciones llenen nuestra mente, controlen nuestro tiempo, apaguen nuestro entusiasmo y arresten nuestra vida, tomemos la decisión de entregarlas al poder de Dios.

La paz de saber que Dios puede actuar, sabe qué hacer y quiere nuestro bienestar, será suficiente para controlar nuestras preocupaciones. Confía y agradece que: Él todo lo puede, Él todo lo sabe, Él te ama y desea tu bien.

Mi conversación con Dios...

_____

_____

_____

_____

_____

_____

_____

_____

_____

Gracias Señor...

"Hay una temporada para todo, un tiempo para cada actividad bajo el cielo. Sin embargo, Dios lo hizo todo hermoso para el momento apropiado. Él sembró la eternidad en el corazón humano, pero aun así el ser humano no puede comprender todo el alcance de lo que Dios ha hecho desde el principio hasta el fin. También sé que todo lo que Dios hace es definitivo. No se le puede agregar ni quitar nada. El propósito de Dios es que el ser humano le tema." Eclesiastés 3:1, 11, 14 NTV

Reflexión para ti...

Dios nos hizo a Su imagen… Reflexiona hoy en las cosas que Dios nos compartió con Su aliento de vida. No es que seamos iguales a Él, pero sí tenemos en nosotros elementos de Su naturaleza que no compartió con el resto de la creación: capacidad de tomar decisiones, razonamiento, control sobre nuestros instintos, creatividad… Este verso nos recuerda que también nos compartió el anhelo de eternidad. Nuestra inquietud por el manejo del tiempo, por la productividad de nuestra vida terrenal, yo diría que incluso el temor a la muerte es parte de ese concepto de eternidad que sembró en nosotros. Ante esas inquietudes, no olvidemos que Dios es el dueño del tiempo y Él es quien puso en nosotros esa añoranza de eternidad. No lo entendemos, pero podemos tener la paz de confiar en que Él todo lo hizo perfecto para el momento apropiado. Nosotros no entendemos… pero Él sí.

Mi conversación con Dios...

_____

_____

_____

_____

_____

Gracias Señor...

"Pero yo confío en ti, oh SEÑOR; digo: «¡Tú eres mi Dios!».
Mi futuro está en tus manos; rescátame de los que
me persiguen sin tregua." Salmo 31:14-15 NTV

Reflexión para ti. . .

¿Te sientes perseguido por personas o por situaciones? ¿Te preocupa el futuro al punto de perder el enfoque en lo que realmente está en tu control?

Llama Dios en este momento y dile: ¡Tú eres mi Dios! ¡Mi futuro está en Tus manos!

Mi conversación con Dios...

_____
_____
_____
_____
_____
_____
_____
_____
_____

Gracias Señor. . .

"Nuestro gran deseo es que sigan amando a los demás mientras tengan vida, para asegurarse de que lo que esperan se hará realidad. Entonces, no se volverán torpes ni indiferentes espiritualmente. En cambio, seguirán el ejemplo de quienes, gracias a su fe y perseverancia, heredarán las promesas de Dios." Hebreos 6:11–12 NTV

Reflexión para ti. . .

Cuando se me dificulta entender el mensaje que una porción bíblica me está queriendo trasmitir, la divido en palabras o frases clave y busco la relación. Si fuéramos a identificar las palabras clave de estos versos, tendríamos que mencionar: amar, torpeza e indiferencia espiritual, fe y perseverancia, herederos de la promesa de Dios. ¿Qué me dice hoy a mí? Que el amor, la fe y la perseverancia me protegen de la torpeza e indiferencia espiritual para que pueda adueñarme de las promesas de Dios. ¿Y a ti, que te dice hoy?

Mi conversación con Dios...

_____
_____
_____
_____
_____
_____
_____
_____
_____

Gracias Señor. . .

"Por eso, no dejen de confiar en Dios, porque sólo así recibirán un gran premio. Sean fuertes, y por ningún motivo dejen de confiar en Él cuando estén sufriendo, para que así puedan hacer lo que Dios quiere y reciban lo que Él les ha prometido. Pues Dios dice en la Biblia: Muy pronto llegará el que tiene que venir. ¡Ya no tarda!" Hebreos 10:35–37 TLA

Reflexión para ti. . .

¿Tienes problemas de falta de paciencia? ¿Te desespera esperar?

Piensa en la meta, en lo que te espera cuando el tiempo de espera termine. La meta es encontrarte con Él. ¿Crees que falta todavía mucho para que Dios venga por nosotros? Persevera haciendo la voluntad de Dios: la recompensa está cerca.

¡El Rey ya viene!

Mi conversación con Dios...

_____

_____

_____

_____

_____

_____

_____

_____

_____

Gracias Señor. . .

"¡Así que sé fuerte y valiente! No tengas miedo ni sientas pánico frente a ellos, porque el SEÑOR tu Dios, Él mismo irá delante de ti. No te fallará ni te abandonará." Deuteronomio 31:6 NTV

Reflexión para ti...

¿Alguna vez has estado en alguna situación difícil en la que alguien ha hablado por ti y te ha representado? Si conoces y confías en las credenciales y las capacidades de esa persona, no puedes pedir más para darte seguridad. Ahora piensa que el Dios que todo lo puede, que todo lo sabe, que te ama y que tiene tu bienestar como prioridad, está delante de ti.

¡No te fallará ni te abandonará! Abre los ojos, Él está ahí.

Mi conversación con Dios...

_____

_____

_____

_____

_____

_____

_____

_____

Gracias Señor...

"El SEÑOR que te hizo y que te ayuda, dice: No tengas miedo,
oh Jacob, siervo mío, mi amado Israel, mi elegido. Pues derramaré
agua para calmar tu sed y para regar tus campos resecos; derramaré
mi Espíritu sobre tus descendientes, y mi bendición sobre tus hijos."
Isaías 44:2-3 NTV

Reflexión para ti. . .

Si te sientes seco y sin fruto, recuerda que: El Dios que te creó, que te conoce, que no te abandona, está ahí, para ti, para tus hijos y descendientes.

¡Está repartiendo agua y bendición hoy!

Mi conversación con Dios...

_____
_____
_____
_____
_____
_____
_____
_____
_____
_____

Gracias Señor. . .

"Yo mismo te voy a guiar —dijo el Señor. Luego Moisés le dijo:
—Si tú no vas a ir con nosotros, entonces no nos hagas ir de aquí.
¿Cómo voy a saber que estás contento con tu pueblo y conmigo
si no vas a acompañarnos? Si nos acompañas, tu pueblo y yo podremos
distinguirnos de todas las otras naciones de la tierra."
Éxodo 33:14–16 PDT

Reflexión para ti...

Yo quisiera ser como Moisés y siempre decir: "Si no vas conmigo, yo no voy". Pero... reconozco que muchas veces empiezo el camino y confío en que Dios me sigue. ¿Te pasa igual?

Señor, enséñame a entregarme a Tu dirección, a buscar Tu presencia de manera que no vaya a donde Tú no me lleves.

Mi conversación con Dios...

_____
_____
_____
_____
_____
_____
_____
_____
_____

Gracias Señor...

"Aun cuando yo pase por el valle más oscuro, no temeré,
porque tú estás a mi lado. Tu vara y tu cayado me protegen
y me confortan." Salmo 23:4 NTV

Reflexión para ti...

Su vara de pastor te protege de ti mismo, de las dificultades donde te metes. Te protege de ataques internos y externos. Su cayado te desenreda de los obstáculos que no te dejan adelantar camino y te dirige. Dios está a tu lado en todo momento:

¡Pídele ver Su vara y Su cayado!

Mi conversación con Dios...

_____
_____
_____
_____
_____
_____
_____
_____
_____
_____

Gracias Señor...

"Ya no necesitarás que el sol brille durante el día, ni que la luna alumbre durante la noche, porque el SEÑOR tu Dios será tu luz perpetua, y tu Dios será tu gloria." Isaías 60:19 NTV

Reflexión para ti...

¡Cuánto asumimos que el sol y la luna cumplirán sus ciclos proveyéndonos la luz que tanto necesitamos! ¡Cuán alentadora es la luz! ¿Has pensado alguna vez qué sería de nosotros sin sol ni luna? ¡Dios es nuestra luz eterna! Permítele alumbrarte de día y de noche.

Mi conversación con Dios...

_____

_____

_____

_____

_____

_____

_____

_____

_____

Gracias Señor...

"Jesús contestó: —Todos los que me aman harán lo que yo diga.
Mi Padre los amará, y vendremos para vivir con cada uno de ellos....
Les dejo un regalo: paz en la mente y en el corazón. Y la paz que
yo doy es un regalo que el mundo no puede dar. Así que no se
angustien ni tengan miedo." Juan 14:23, 27 NTV

Reflexión para ti. . .

*Jesús conoce nuestra necesidad de paz. La paz que Dios nos da cubre
todas nuestras necesidades. No es igual a la paz que nos dan los gobiernos,
las posesiones materiales, las relaciones humanas, el conocimiento, el
poder... ¡Es la paz de la mente y el corazón!*

¡Busca y apodérate del regalo que te está esperando!

Mi conversación con Dios...

_____
_____
_____
_____
_____
_____
_____
_____
_____

Gracias Señor...

"Y sabrás, pueblo de Israel, que yo soy el SEÑOR, cuando haya honrado mi nombre al tratarte con compasión, a pesar de tu perversidad. Yo, el SEÑOR Soberano, ¡he hablado!" Ezequiel 20:44 NTV

Reflexión para ti. . .

El Dios soberano, dueño y señor de todo, quiere y puede tenernos compasión. ¡Ese es Él y cumple Su Palabra!

Mi conversación con Dios...

_____
_____
_____
_____
_____
_____
_____
_____
_____

Gracias Señor...

"Todo lo nuevo viene de Dios, quien nos ha reconciliado con Él a través de Cristo y nos ha dado el trabajo de reconciliar a toda la gente con Él. Lo que quiero decir es que a través de Cristo, Dios estaba tratando de reconciliar al mundo con Él, sin tener en cuenta los pecados de nadie. Ese es el mensaje de reconciliación que nos encargó anunciar." 2 Corintios 5:18–19 NTV

Reflexión para ti. . .

¿Alguna vez has necesitado reconciliarte con alguien? Una de las dificultades es decidir quién y cómo tomará la iniciativa. ¿Espero a que la otra persona venga, o a pesar de mis sentimientos tomo la iniciativa?

En nuestra relación con Dios, ¡Él tomó ya la iniciativa! Sin tomar en cuenta lo que le habíamos hecho, nos envió a Cristo con el puente. ¡Riega la voz!

Dios te está buscando y puso el puente para que podamos encontrarnos con Él.

Mi conversación con Dios...

_____

_____

_____

_____

_____

_____

_____

_____

_____

Gracias Señor...

"...pero ahora han sido unidos a Cristo Jesús. Antes estaban muy lejos de Dios, pero ahora fueron acercados por medio de la sangre de Cristo. Pues Cristo mismo nos ha traído la paz..." Efesios 2:13–14ª NTV

Reflexión para ti...

El sacrificio de Cristo por nosotros es el puente para que tengamos paz con Dios. El puente está ahí, no esperes más, encuentra la paz que solo Cristo puede darte. En este lado del puente, no hay nada que pueda darte la paz que Dios quiere para ti.

Mi conversación con Dios...

_____
_____
_____
_____
_____
_____
_____
_____
_____

Gracias Señor...

"... hizo la paz entre judíos y gentiles al crear de los dos grupos un nuevo pueblo en él. Cristo reconcilió a ambos grupos con Dios en un solo cuerpo por medio de su muerte en la cruz, y la hostilidad que había entre nosotros quedó destruida." Efesios 2:15b–16 NTV

Reflexión para ti. . .

Para Dios todos los que hemos sido limpiados con Su sangre somos iguales. Cuando El nos mira, solo ve la sangre de Cristo cubriéndonos. No cometas el error de fijarte en las diferencias y en las cosas que nos dividen. Enfoca tu mirada en lo que nos une: Su sangre.

Mi conversación con Dios...

_____

_____

_____

_____

_____

_____

_____

_____

_____

Gracias Señor. . .

*"Cuando la presión y el estrés se me vienen encima,
yo encuentro alegría en tus mandatos."*
Salmo 119:143 NTV

Reflexión para ti. . .

¿Alguien es libre de presión y estrés? No creo que haya alguien en el mundo que no tenga estos momentos. El salmista nos da su remedio: la Palabra de Dios.

Recibir, conocer, confiar y cumplir con Su Palabra es la mejor receta.

¡Busca una Biblia y sumérgete en ella!

Mi conversación con Dios...

_____

_____

_____

_____

_____

_____

_____

_____

_____

_____

Gracias Señor. . .

"Sé muy bien lo que tengo planeado para ustedes, dice el SEÑOR, son planes para su bienestar, no para su mal. Son planes de darles un futuro y una esperanza." Jeremías 29:11 NTV

Reflexión para ti...

Si Dios todo lo puede, todo lo sabe y quiere lo mejor para mí, ¿qué más puedo necesitar? Su plan para mí ya proveyó futuro y esperanza, no solo para esta vida, sino para la eternidad. No olvides, confía en que el TODOPODEROSO está de tu lado, trabajando para tu bienestar.

Mi conversación con Dios...

_____

_____

_____

_____

_____

_____

_____

_____

_____

Gracias Señor...

Pensamientos

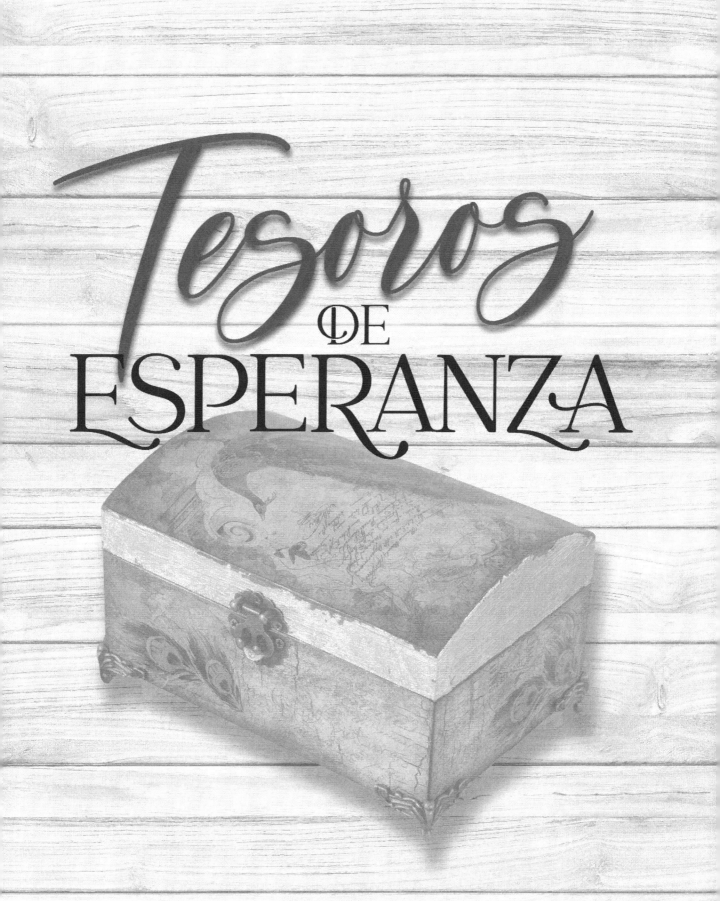

Tesoros DE ESPERANZA

"Pues el Señor Dios es nuestro sol y nuestro escudo;
Él nos da gracia y gloria. El Señor no negará ningún bien
a quienes hacen lo que es correcto." Salmo 84:11 NTV

Reflexión para ti...

¿Te has dado cuenta de cómo influye un día nublado en nuestro ánimo? Pareciera que la falta del brillo del sol nos roba energía. Que este verso te inspire a ver a Dios como tu sol. Ese sol brillante que nos da fuerza, ánimo para combatir, esperanza de que con Él venceremos.

¡Salió el sol, levántate!

Mi conversación con Dios...

_____

_____

_____

_____

_____

_____

_____

_____

Gracias Señor...

"Así que no dejen que el pecado los gobierne, ni que los obligue a obedecer los malos deseos de su cuerpo. Ustedes ya han muerto al pecado, pero ahora han vuelto a vivir. Así que no dejen que el pecado los use para hacer lo malo. Más bien, entréguense a Dios, y hagan lo que a Él le agrada. Así el pecado ya no tendrá poder sobre ustedes, porque ya no son esclavos de la ley. Ahora están al servicio del amor de Dios." Romanos 6:12-14 TLA

Reflexión para ti...

Si eres de los que alguna vez ha pensado que no hay esperanza para ti, que seguirás toda la vida en el mismo círculo de fracasos y errores, este verso te liberta de ese pensamiento. Dios te ha dado el regalo de la libertad en Jesús. Eres libre para vivir al amparo de Dios.

¡Eres libre para cambiar la ruta de tu vida!

Mi conversación con Dios...

_____

_____

_____

_____

_____

_____

_____

_____

_____

Gracias Señor...

"Pues Dios nos salvó y nos llamó para vivir una vida santa.
No lo hizo porque lo mereciéramos, sino porque ese era Su plan
desde antes del comienzo del tiempo, para mostrarnos
Su gracia por medio de Cristo Jesús." 2 Timoteo 1:9 NTV

Reflexión para ti. . .

La idea de esforzarnos para merecer el amor de Dios y vivir una vida santa es abrumadora, frustrante y portadora de ansiedad. Nos hace sentir impotentes, cargados y fracasados. ¡Qué alivio saber que Dios nos proveyó a Jesús para que podamos ser salvos:

...no porque nosotros lo merezcamos, sino porque Jesús lo hizo;

...no porque nosotros nos lo ganemos, sino porque Jesús ya se lo ganó para nosotros;

...no porque nosotros seamos buenos, sino porque Dios nos lo regaló por Su incondicional amor!

Mi conversación con Dios...

_____
_____
_____
_____
_____
_____
_____

Gracias Señor...

*"Así que acerquémonos con toda confianza al trono de la gracia
de nuestro Dios. Allí recibiremos Su misericordia y encontraremos
la gracia que nos ayudará cuando más la necesitemos."*
Hebreos 4:16 NTV

Reflexión para ti. . .

*Algunos pueden tener la imagen mental de Dios en un trono de juicio, en un
trono de rey dictador y castigador. Dios nos revela en ésta, Su Palabra, que
Su trono es uno de misericordia, gracia (regalos inmerecidos) y provisión.
Dios mismo nos invita a acercarnos a Su trono con confianza.
¡Solo hay cosas buenas en Su trono … y estás invitado a acercarte!
¡Si tan solo prepararas tu corazón y levantaras tus manos a Él en oración!
Tener esperanza te dará valentía.*

Mi conversación con Dios...

_____
_____
_____
_____
_____
_____
_____
_____
_____

Gracias Señor. . .

"Estarás protegido y descansarás seguro.
Te acostarás sin temor…"
Job 11:13,18, 19ª NTV

Reflexión para ti…

Job estaba desesperado: enfermedades, pérdidas, muertes en la familia, soledad… Tal vez como tú en algunas etapas de la vida. El consejo de su amigo es para ti también. Poner en Dios tu confianza y depender de Su bondad y Su poder, te dará la esperanza de que en Sus manos estás seguro. Esa esperanza te dará valor para ir hacia adelante, y te permitirá descansar seguro porque le has dado a Dios el control. Dios quiere lo mejor para tí y tiene el poder para hacer que se cumpla Su voluntad.

Mi conversación con Dios…

_____
_____
_____
_____
_____
_____
_____
_____
_____

Gracias Señor…

*"Guíame con tu verdad y enséñame, porque Tú eres el Dios
que me salva. Todo el día pongo en ti mi esperanza."*
Salmo 25:5 NTV

Reflexión para ti. . .

Los humanos a veces actuamos en forma incomprensible. Cuando necesitamos esperanza, seguridad en un porvenir, la buscamos en intermediarios que no la puede producir. ¿Por qué no ir al Productor y Proveedor directamente? Solo Dios salva, solo Dios tiene la VERDAD y por lo tanto, solo Él puede darnos la verdadera esperanza. Pídele HOY, a Él directamente, que te enseñe Su verdad y te guíe a la esperanza.

Mi conversación con Dios...

_____

_____

_____

_____

_____

_____

_____

_____

Gracias Señor. . .

"Así que, ¡sean fuertes y valientes, ustedes los que ponen
su esperanza en el SEÑOR!" Salmo 31:24 NTV

Reflexión para ti...

Correr sin conocer la meta es desalentador y abrumador. ¿Cuánto nos falta,
cuál es la dirección correcta, voy en buen camino, estoy suficientemente
preparado para el camino? Tener la meta a la vista nos da fuerza y valentía.
Nuestra esperanza es vivir la eternidad con Dios. Si ponemos nuestra
esperanza en eso, tendremos fuerzas y valor para el camino que nos resta
a la meta. ¡Cuando te falten fuerzas y valor, mira hacia la meta!

Mi conversación con Dios...

_____
_____
_____
_____
_____
_____
_____
_____
_____

Gracias Señor...

"Nosotros ponemos nuestra esperanza en el SEÑOR;
Él es nuestra ayuda y nuestro escudo." Salmo 33:20 NTV

Reflexión para ti...

La vida es una continua batalla. Lo peor de una batalla es sentir que peleamos solos y sentir que no tenemos las armas apropiadas. ¿Te has sentido así alguna vez? La Biblia te da buenas noticias:

Dios te acompaña en la batalla, pero no es un acompañante observador: te ayuda, pelea contigo. También te sirve de escudo librándote de los ataques no deseados.

¡Qué gran compañero de batalla tenemos! Con Él, todo es diferente.

Mi conversación con Dios...

_____
_____
_____
_____
_____
_____
_____
_____
_____

Gracias Señor...

"¿Por qué estoy desanimado? ¿Por qué está tan triste mi corazón?
¡Pondré mi esperanza en Dios! Nuevamente lo alabaré,
¡mi Salvador y mi Dios! Ahora estoy profundamente desalentado,
pero me acordaré de Ti..." Salmo 42:5-6ª NTV

Reflexión para ti...

No eres el único que se ha sentido desanimado y triste alguna vez. David, el hombre del que la Biblia dice que era un hombre conforme al corazón de Dios, también se sintió así. David era rey, tenía poder, y sin embargo estaba desalentado y triste. Las emociones son poderosas y engañosas. Nos hacen perder de vista la verdad y nos presentan a veces un panorama oscuro.

Busca y alaba a Dios. Él te mostrará un panorama de luz.

Mi conversación con Dios...

_____

_____

_____

_____

_____

_____

_____

_____

_____

Gracias Señor...

"Que todo mi ser espere en silencio delante de Dios,
porque en Él está mi esperanza. Solo Él es mi roca y mi salvación,
mi fortaleza donde no seré sacudido." Salmo 62:5–6 NTV

Reflexión para ti. . .

¿Alguna vez ha estado en medio de un conflicto y ha puesto toda su confianza en alguien que puede resolverlo? Cuando estamos seguros de que ese alguien sabe, puede y quiere resolver nuestro conflicto podemos esperar en quietud, sabiendo que el final será lo mejor.

Si hemos puesto nuestra esperanza en Dios, que todo lo sabe, todo lo puede y quiere lo mejor para nosotros, podemos esperar en la quietud de Su fidelidad. Todo nuestro ser: espíritu, alma y cuerpo, puede esperar en quietud porque solo Él es nuestra roca firme, nuestra salvación y nuestra fortaleza.

Mi conversación con Dios...

_____
_____
_____
_____
_____
_____
_____
_____
_____
_____

Gracias Señor...

"No les ocultaremos estas verdades a nuestros hijos; a la próxima generación le contaremos de las gloriosas obras del SEÑOR, de su poder y de sus imponentes maravillas. Pues emitió sus leyes a Jacob; entregó sus enseñanzas a Israel. Les ordenó a nuestros antepasados que se las enseñaran a sus hijos, para que la siguiente generación las conociera —incluso los niños que aún no habían nacido—, y ellos, a su vez, las enseñarán a sus propios hijos. De modo que cada generación volviera a poner su esperanza en Dios y no olvidara sus gloriosos milagros, sino que obedeciera sus mandamientos. Entonces no serán obstinados, rebeldes e infieles como sus antepasados, quienes se negaron a entregar su corazón a Dios." Salmo 78:4–8 NTV

Reflexión para ti. . .

¿Alguna vez has pensado que las nuevas generaciones han perdido el rumbo? ¿Has pensado que el mundo va de mal en peor en vez de ir mejorando al ritmo del aumento en el conocimiento? La solución, según David, no estaba en obtener mayor conocimiento ni en tener más y mejores comodidades económicas. La solución es enseñar a las nuevas generaciones a poner su esperanza en Dios. Enseñar a reconocer y agradecer los milagros de cada día, que no nos merecemos, que no nos debemos a nosotros mismos, sino a Dios. Enseñar que ese agradecimiento requiere compromiso de obediencia.

Ah, ¿pero cómo enseñar lo que no conocemos? Empecemos hoy poniendo nuestra esperanza en el Dios que cada día hace milagros por y para nosotros. Empecemos agradeciéndole con una actitud de obediencia y compromiso. Entonces, las nuevas generaciones verán y aprenderán.

Mi conversación con Dios _____

_____

Gracias Señor. . .

"Cuando mi mente se llenó de dudas, tu consuelo renovó
mi esperanza y mi alegría." Salmo 94:19 NTV

Reflexión para ti. . .

¡Hay tanto que no conocemos ni entendemos! Eso puede causar momentos de duda, desamparo e inseguridad. Recuerda hoy que Dios quiere cubrirte con todo Su conocimiento, poder y amor.

Aférrate a Él y renueva la esperanza y alegría de sentirte protegido.

Mi conversación con Dios...

_____

_____

_____

_____

_____

_____

_____

_____

Gracias Señor. . .

Tesoro de Esperanza que Dios te regala hoy

"Tú eres mi refugio y mi escudo; tu palabra es la fuente
de mi esperanza." Salmo 119:114 NTV

Reflexión para ti. . .

Desde la eternidad Dios conocía las luchas que la humanidad enfrentaría. Nada de lo que vivimos hoy es desconocido para Dios. Por eso en Su gran sabiduría, nos dio Su Palabra. Cuando leas la Biblia, piensa en que es Dios hablándote, contándote, aconsejándote, dándose a conocer, diciéndote quién y cómo es Él. Piensa en Su Palabra como una carta de amor que te dice quién te protege, y dónde está la fuente de esperanza. Imagínate que es una carta con el mapa al tesoro de esperanza que tanto necesitas. ¡Sigue el mapa! ¡Busca el tesoro!

Mi conversación con Dios...

_____
_____
_____
_____
_____
_____
_____
_____
_____

Gracias Señor. . .

> "Me levanto temprano, antes de que salga el sol;
> clamo en busca de ayuda y pongo mi esperanza en tus palabras."
> Salmo 119:147 NTV

Reflexión para ti...

El futuro siempre es fuente de inseguridad. ¿Cómo prepararnos para lo que no conocemos? La única posible preparación es ponerlo en manos del que sí lo conoce y quiere lo mejor para ti. Cada mañana, entrega el día que empieza al que lo conoce y tiene poder sobre él. Empieza hoy, pon tu esperanza en Él.

Mi conversación con Dios...

_____

_____

_____

_____

_____

_____

_____

_____

_____

Gracias Señor...

Tesoro de Esperanza que Dios te regala hoy

"Así que Dios ha hecho ambas cosas: la promesa y el juramento. Estas dos cosas no pueden cambiar, porque es imposible que Dios mienta. Por lo tanto, los que hemos acudido a Él en busca de refugio podemos estar bien confiados aferrándonos a la esperanza que está delante de nosotros." Hebreos 6:18 NTV

Reflexión para ti...

Estoy segura de que todos los que creemos en Dios, independientemente de otras doctrinas, sabemos que Él no miente. Es una característica que no dudamos. Sin embargo, no entiendo por qué, a pesar de creer que Él no miente, no siempre confiamos en Sus promesas. Si crees en Él y crees que no miente, entonces aférrate a la esperanza de que Sus promesas se cumplirán.

¿Qué promesa te ha hecho Dios hoy? Confía y espera, Él no miente.

Mi conversación con Dios...

_____
_____
_____
_____
_____
_____
_____
_____
_____

Gracias Señor...

"...En este mundo maligno, debemos vivir con sabiduría,
justicia y devoción a Dios mientras anhelamos con esperanza
ese día maravilloso en que se revele la gloria de nuestro
gran Dios y Salvador Jesucristo." Tito 2:12-13 NTV

Reflexión para ti...

Vendrán tiempos mejores. Hay muchas cosas mal en este mundo, pero nosotros no tenemos que desesperarnos. Dios ha prometido que viene un día en el que Su gloria maravillosa se revelará al mundo y todo será diferente.

Mi conversación con Dios...

_____
_____
_____
_____
_____
_____
_____
_____
_____
_____

Gracias Señor...

"Mientras esperas, vive con la sabiduría, justicia y devoción
que Dios ha puesto a tu disposición al regalarte el Espíritu Santo.
No vivas sin esperanza, vive con la esperanza de que vendrá
un tiempo glorioso según Él lo ha prometido. Y su nombre
será la esperanza de todo el mundo." Mateo 12:21 NTV

Reflexión para ti. . .

¿En qué cosas y qué personas has puesto tu esperanza? ¿En tus propiedades, tus pertenencias, tu dinero, tu educación, tu trabajo, tu familia, tus amigos, tu salud, tus gobernantes? La Biblia es clara: todos esos solo pueden proveerte una seguridad limitada y temporera.

Solo Jesús es la esperanza del mundo. Solo Jesús nos garantiza vida plena, permanente y eterna. Pon tu confianza en Jesús: ¡es una declaración del mismo Dios!

Mi conversación con Dios...

_____

_____

_____

_____

_____

_____

_____

_____

Gracias Señor. . .

"No obstante, aún me atrevo a tener esperanza cuando recuerdo
lo siguiente: ¡El fiel amor del SEÑOR nunca se acaba!
Sus misericordias jamás terminan. Grande es su fidelidad;
sus misericordias son nuevas cada mañana."
Lamentaciones 3:21–23 NTV

Reflexión para ti...

¡Cómo me gustan estos versos! En esos días en que las cosas se ven tan difíciles y complejas, en esos días de temor e inseguridad, me aferro a estos versos. Sus misericordias son nuevas cada mañana, Su fiel amor nunca se termina y nunca se repite, todos los días amanece una nueva oportunidad para Dios obrar diferente, pertinente y personal. Su inventario de bendiciones y misericordia no se termina. Él no tiene que reciclar misericordias y las mías no tienen que ser las mismas tuyas.

Hoy no tiene que ser igual que ayer; mañana no tiene que ser igual que hoy.

¡!!Sus misericordias son nuevas cada mañana, y no se acaban!!!

Mi conversación con Dios...

_____

_____

_____

_____

_____

_____

Gracias Señor...

"Pero benditos son los que confían en el SEÑOR
y han hecho que el SEÑOR sea su esperanza y confianza."
Jeremías 17:7 NTV

Reflexión para ti...

Si tu esperanza y tu confianza están puestas en Dios, eres dueño de Su bendición. ¿Qué es mejor que tener la bendición de Dios? Es una bendición de paz que solo viene con esperar en Él, sabiendo que Su voluntad es la mejor para nosotros.

Mi conversación con Dios...

_____
_____
_____
_____
_____
_____
_____
_____
_____

Gracias Señor...

"Pues yo sé los planes que tengo para ustedes —dice el SEÑOR—.
Son planes para lo bueno y no para lo malo, para darles un futuro
y una esperanza." Jeremías 29:11 NTV

Reflexión para ti...

Dios SIEMPRE quiere lo mejor para nosotros. Repítelo una y otra vez hasta que te convenzas y esa verdad controle tus pensamientos y permee en tus sentimientos. Si podemos creer esto, podremos mirar a través de las dificultades momentáneas y temporeras al futuro esplendoroso que Él ha planificado para nosotros.

Mi conversación con Dios...

_____
_____
_____
_____
_____
_____
_____
_____
_____
_____

Gracias Señor...

"También le pido a Dios que les haga comprender con claridad
el gran valor de la esperanza a la que han sido llamados,
y de la salvación que Él ha dado a los que son suyos." Efesios 1:18 TLA

Reflexión para ti. . .

Le pido a Dios que inunde de luz tu corazón en este momento para que puedas entender y ver la herencia rica y gloriosa que Dios tiene para ti. Si has aceptado a Jesús como Salvador, eres hijo de Dios, y como tal tienes derecho a Su herencia: una eternidad gloriosa en Su Reino, sentado junto a Él, disfrutando de Su amor y presencia. Es una luz que permite ver a través de las dificultades de la vida humana, la esperanza de la gloria venidera.

Mi conversación con Dios...

_____
_____
_____
_____
_____
_____
_____
_____
_____

Gracias Señor...

"Y ahora, amados hermanos, queremos que sepan lo que sucederá con los creyentes que han muerto, para que no se entristezcan como los que no tienen esperanza. Pues, ya que creemos que Jesús murió y resucitó, también creemos que cuando Jesús vuelva, Dios traerá junto con él a los creyentes que hayan muerto." 1 Tesalonicenses 4:13–14 NTV

Reflexión para ti...

Todos los que hemos perdido algún ser querido hemos sentido tristeza. La tristeza de no poder compartir con ellos día a día como hasta ahora, la tristeza de la ausencia. Jesús también sintió esa tristeza y también lloró por su amigo Lázaro. Eso es parte de nuestra humanidad. Pero… si hemos aceptado a Jesús como Salvador, la tristeza es diferente: es una tristeza con esperanza. No compartirás con esa persona por un tiempo, pero ambos estarán en la eternidad…

Y la eternidad es un tiempo mucho más largo que la vida terrenal.

¿Tienen tú y tus seres queridos el boleto pago para la eternidad?

Allí nos veremos… por siempre.

Mi conversación con Dios...

_____

_____

_____

_____

_____

_____

Gracias Señor...

"Es por eso que trabajamos con esmero y seguimos luchando,
porque nuestra esperanza está puesta en el Dios viviente,
quien es el Salvador de toda la humanidad y, en especial,
de todos los creyentes." 1 Timoteo 4:10 NTV

Reflexión para ti. . .

Los obstáculos que encontramos en el camino nos desaniman; nos quitan el deseo de luchar. Cuando eso sucede, probablemente es porque estamos poniendo nuestra esperanza en lo que vemos con nuestros ojos físicos y emocionales. Intenta hoy poner tu esperanza en lo que no se ve con ojos físicos, sino en el Dios viviente que nos tiene preparado un futuro de eternidad con Él. Estar con Él en la eternidad debe ser el combustible para nuestra lucha diaria. Empieza a mirar tu entorno terrenal con ojos de eternidad.

Mi conversación con Dios...

_____
_____
_____
_____
_____
_____
_____
_____
_____
_____

Gracias Señor...

"Alégrense por la esperanza segura que tenemos. Tengan paciencia en las dificultades y sigan orando." Romanos 12:12 NTV

Reflexión para ti. . .

Habrá dificultades en nuestra vida: eso es seguro. Lo que también es seguro es que podemos enfrentarlas con oración y la seguridad de que Dios tiene para nosotros un futuro más allá de la dificultad. Nuestra esperanza en Dios es segura. Mira tu presente con ojos de futuro.

Mi conversación con Dios...

_____

_____

_____

_____

_____

_____

_____

_____

_____

Gracias Señor...

Tesoro de Esperanza que Dios te regala hoy

"Tales cosas se escribieron hace tiempo en las Escrituras
para que nos sirvan de enseñanza. Y las Escrituras nos dan
esperanza y ánimo mientras esperamos con paciencia hasta
que se cumplan las promesas de Dios." Romanos 15:4 NTV

Reflexión para ti. . .

Dios nos conoce desde la eternidad. Sabe cuánto ánimo necesitamos mientras esperamos a estar con Él en la eternidad. Por eso nos dejó Su Palabra, como una carta de amor para que nos podamos aferrar a Sus promesas mientras estamos en la Tierra. Lee y aférrate a Sus promesas: son eternas porque Él es eterno y fiel.

Mi conversación con Dios...

_____

_____

_____

_____

_____

_____

_____

_____

_____

Gracias Señor. . .

"Le pido a Dios, fuente de esperanza, que los llene completamente de alegría y paz, porque confían en Él. Entonces rebosarán de una esperanza segura mediante el poder del Espíritu Santo."
Romanos 15:13 NTV

Reflexión para ti...

Todos necesitamos alegría y paz: unos días más que otros. El Espíritu Santo que vive en los que hemos creído y confiado en Él, nos puede llenar de la esperanza de que Él tiene todo en el control de Su poderosa y sabia voluntad. Confía en que Él cumple lo que promete y descansa con paz en esa esperanza.

Mi conversación con Dios...

_____

_____

_____

_____

_____

_____

_____

_____

Gracias Señor...

Tesoro de Esperanza que Dios te regala hoy

"Mantengámonos firmes sin titubear en la esperanza
que afirmamos, porque se puede confiar en que Dios
cumplirá su promesa." Hebreos 10:23 NTV

Reflexión para ti. . .

Saber que Dios siempre cumple Sus promesas es la mayor fuente de esperanza que podemos tener. No importa el presente, no importa lo que no entiendo o lo que me aturde y confunde, no importa si otros no cumplen sus promesas, lo que sí puedo afirmar sin titubear es que Él cumple Sus promesas.

Aférrate a ellas para hoy y para mañana.

Mi conversación con Dios...

_____
_____
_____
_____
_____
_____
_____
_____

Gracias Señor. . .

"Así que preparen su mente para actuar y ejerciten el control propio. Pongan toda su esperanza en la salvación inmerecida que recibirán cuando Jesucristo sea revelado al mundo." 1 Pedro 1:13 NTV

Reflexión para ti...

Hay muchas cosas en nuestra vida que no podemos controlar. Tampoco podemos controlar lo que otra gente hace o no hace. Dios no nos pide cuentas por las que no podemos controlar. Pero sí podemos, y debemos, preparar nuestra mente y ejercitar el control propio. Mantén tu mente preparada para la salvación que Dios te ha regalado. Actúa en conformidad con esa esperanza.

Mi conversación con Dios...

_____

_____

_____

_____

_____

_____

_____

_____

_____

Gracias Señor...

"Todo lo que es bueno y perfecto es un regalo que desciende a nosotros de parte de Dios nuestro Padre, quien creó todas las luces de los cielos. Él nunca cambia ni varía como una sombra en movimiento." Santiago 1:17 NTV

Reflexión para ti...

El cambio siempre nos produce inseguridad. Saber que lo que vemos hoy no será igual a lo que vemos mañana es atemorizante.

Si hay algo que debe producirnos paz, es este verso: ¡Dios no cambia!

No cambia de opinión, no cambia Sus planes, no cambia Sus promesas, no cambia Su Palabra...

Confía en el que nunca cambia.

Mi conversación con Dios...

_____

_____

_____

_____

_____

_____

_____

_____

_____

Gracias Señor...

Pensamientos

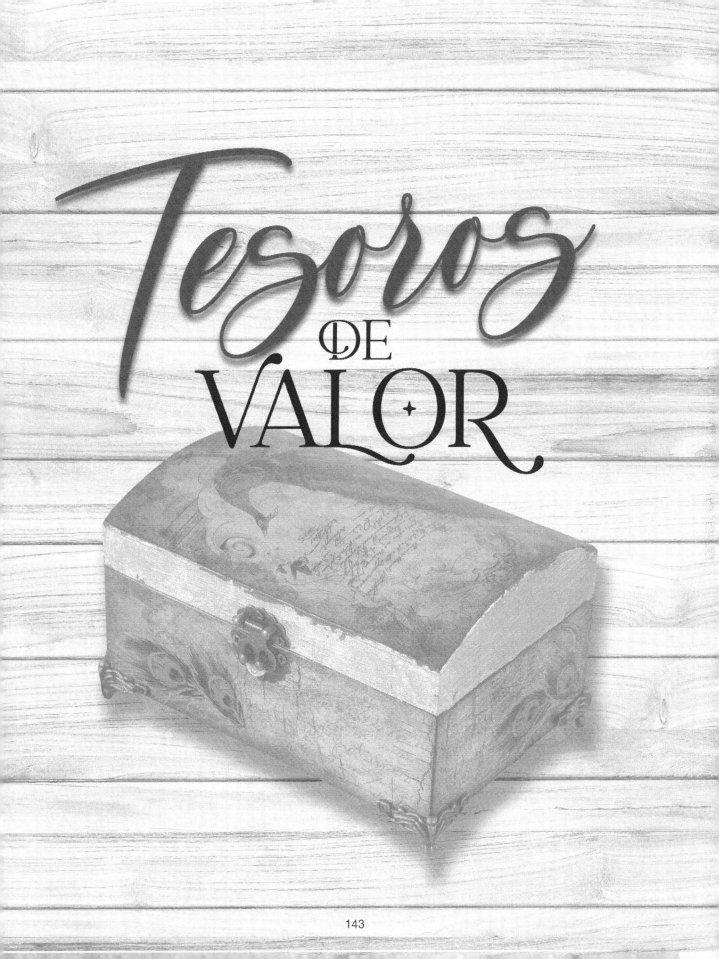

Tesoros DE VALOR

"Pero Moisés les dijo: –No tengan miedo. Solo quédense quietos y observen cómo el SEÑOR los rescatará hoy. Esos egipcios que ahora ven, jamás volverán a verlos. El Señor mismo peleará por ustedes. Solo quédense tranquilos." Éxodo 14:13-14 NTV

Reflexión para ti...

El pueblo de Israel estaba en el desierto y las cosas no iban tan fáciles como ellos habían esperado. En su descontento y frustración, perdieron de vista al Dios que los acompañaba y dirigía. Se quejaron... igual que nosotros cuando nos atemorizamos porque no vemos la salida fácil. Las palabras de Moisés son para nosotros hoy también. Recuerda que no estás solo en esta batalla. Tienes a tu lado al TODOPODEROSO DIOS. Esa lucha que ahora ves no volverá a ti si es Dios quien la resuelve, porque Él hace todo perfecto. Está tranquilo... No tengas miedo...Dios pelea por ti.

Mi conversación con Dios...

_____
_____
_____
_____
_____
_____
_____
_____

Gracias Señor...

"Pero Dios escuchó llorar al muchacho, y el ángel de Dios llamó a Agar desde el cielo: Agar, ¿qué pasa? ¡No tengas miedo! Dios ha oído llorar al muchacho, allí tendido en el suelo." Génesis 21:17 NTV

Reflexión para ti...

Una de nuestras mayores fuentes de temor son nuestros hijos. El temor a verlos sufrir es parte de la vida de todo padre y madre. Agar sufría por su hijo en necesidad; una necesidad que ella no podía satisfacer en ese momento. Su hijo estaba en el suelo, indefenso y necesitado y ella no podía resolver. Las palabras de Dios son para ti hoy también: Dios ha oído el llanto de tu hijo, no tengas miedo. Confía hoy en que Dios ama a tu hijo más que tú mismo y que allí donde esté, Él ve y escucha su llanto.

Mi conversación con Dios...

_____
_____
_____
_____
_____
_____
_____
_____
_____

Gracias Señor...

"No se rebelen contra el Señor y no teman al pueblo de esa tierra.
¡Para nosotros son como presa indefensa! ¡Ellos no tienen protección,
pero el Señor está con nosotros! ¡No les tengan miedo!"
Números 14:9 NTV

Reflexión para ti...

El pueblo de Israel tenía miedo de los habitantes de la tierra que Dios les había prometido. Estas palabras de Moisés también nos hablan hoy. Si estás en el camino a la promesa de Dios, Él está contigo. Su protección está contigo. Nadie que esté en contra del propósito del Señor puede triunfar sobre ti. Nadie puede apartarte de Su promesa. Aunque parezca que son más numerosos o poderosos, la presencia misma del TODOPODEROSO está con nosotros. ¡No les tengas miedo!

Mi conversación con Dios...

_____

_____

_____

_____

_____

_____

_____

_____

Gracias Señor...

"Pero yo les dije: ¡No se asusten ni les tengan miedo! El SEÑOR su Dios va delante de ustedes. Él peleará por ustedes tal como vieron que hizo en Egipto. También vieron cómo el SEÑOR su Dios los cuidó todo el tiempo que anduvieron por el desierto, igual que un padre cuida de sus hijos; y ahora los trajo hasta este lugar." Deuteronomio 1:29-31 NTV

Reflexión para ti...

La experiencia de peregrinación en el desierto era difícil y el pueblo se desalentaba muchas veces. El miedo los invadía. Eso mismo nos sucede a nosotros en nuestras experiencias de desiertos, de incertidumbre y de escasez. Haz uso hoy del mismo consejo que Moisés le dio al pueblo: haz memoria de todas las veces que Dios te ha cuidado en el camino. Recuerda que Él te ha cuidado como Padre amoroso y te ha traído hasta aquí. Ese Padre que te trajo hasta aquí, no te va a abandonar a mitad de camino. El Señor tu Dios va delante de ti. No te asustes ni tengas miedo.

Mi conversación con Dios...

Gracias Señor...

"No tengas miedo de esas naciones, porque el Señor tu Dios peleará por ustedes." Deuteronomio 3:22 NTV

Reflexión para ti. . .

Cada día en esta vida es una batalla. Hay batallas mentales, emocionales, sociales, físicas y espirituales: muchas "naciones" en conflicto con nosotros. Cuando te abrumen las batallas, recuerda que Dios, que tiene todo el poder y toda la sabiduría, está peleando por ti. ¿Qué más necesitas? ¿A quién más necesitas de tu lado? Pon en Sus manos tu debilidad y tu miedo. Confía en que Él puede más que tú, sabe más que tú y quiere tu victoria.

Mi conversación con Dios...

_____

_____

_____

_____

_____

_____

_____

_____

_____

Gracias Señor. . .

"Luego los jefes también dirán: ¿Alguno de ustedes tiene miedo o está angustiado? De ser así, puede irse a su casa antes de que atemorice a alguien más". Deuteronomio 20:8 NTV

Reflexión para ti. . .

Esta es una de las reglas que se le dieron al ejército cuando fueran al campo de batalla. Me llama la atención que reconoce que el miedo es contagioso. Si Dios está de tu lado, peleando por ti, no permitas que otros te contagien su miedo. Busca la voluntad de Dios y aférrate a Él. Por otro lado, ten cuidado de que no seas tú el que te esté contagiando tus miedos a los que confían en el poder de Dios para sus batallas.

Mi conversación con Dios...

_____
_____
_____
_____
_____
_____
_____
_____
_____
_____

Gracias Señor...

Tesoro de Valor que Dios te regala hoy

"Pues tendrás éxito si obedeces cuidadosamente los decretos y las ordenanzas que el Señor le dio a Israel por medio de Moisés. ¡Sé fuerte y valiente! ¡No tengas miedo ni te desanimes!"
1 Crónicas 22:13 NTV

Reflexión para ti...

Nuestro éxito depende de nuestra obediencia a Dios. En la medida en que estemos sujetos a la voluntad de Dios, Él cumplirá Su propósito en nosotros. Ese propósito SIEMPRE es para nuestro bien. No tengas miedo, no te desanimes… solo obedece.

Mi conversación con Dios...

_____
_____
_____
_____
_____
_____
_____
_____

Gracias Señor...

"A pesar de que tenían miedo de los lugareños, reconstruyeron el altar en su sitio original. Luego, cada mañana y cada tarde, comenzaron a sacrificar ofrendas quemadas al Señor sobre el altar." Esdras 3:3 NTV

Reflexión para ti...

A pesar del miedo... adoraron al Señor. No esperes a que se te quite el miedo para comenzar a hacer Su voluntad y para adorarle. La estrategia es al revés: empieza a hacer Su voluntad y adorarle, y eso te ayudará a combatir el miedo. Empieza ahora mismo: adórale y alábale como tu Dios todopoderoso, sabio, fiel, amoroso, misericordioso, proveedor, santo ...

¡Bendito sea el Señor!

Mi conversación con Dios...

_____

_____

_____

_____

_____

_____

_____

_____

_____

_____

_____

Gracias Señor...

"Luego, mientras revisaba la situación, reuní a los nobles
y a los demás del pueblo y les dije: ¡No le tengan miedo al enemigo!
¡Recuerden al Señor, quien es grande y glorioso, y luchen por
sus hermanos, sus hijos, sus hijas, sus esposas y sus casas!".
Nehemías 4:14 NTV

Reflexión para ti. . .

Nehemías hizo un llamado a luchar por las familias. En estos tiempos hay muchas batallas contra nuestras familias. No te confíes, no pienses que todo lo que ocurre es casualidad. El enemigo sabe que cualquier daño a la familia es un daño al fundamento social y espiritual que tiene efectos dolorosos para todos, por lo que hay una estrategia concertada contra la familia. Es tiempo de batallar por tu familia. ¡Recuerda que Dios es grande y glorioso y estamos de Su lado en el ejército!

Mi conversación con Dios...

_____
_____
_____
_____
_____
_____
_____
_____

Gracias Señor. . .

"Pero cuando tenga miedo, en ti pondré mi confianza.
Alabo a Dios por lo que ha prometido. En Dios confío,
¿por qué habría de tener miedo? ¿Qué pueden hacerme
unos simples mortales?" Salmo 56:3–4 NTV

Reflexión para ti. . .

David estaba en peligro y evidentemente sabía lo que era el miedo. Me anima saber que no soy la única que siento miedos. Pero además de compartir sus miedos, puedo aprender que el salmista tenía una receta infalible para luchar contra el miedo y que la compartió conmigo. Una receta que a él no le fallaba y que evidentemente practicó muchas veces. Cuando tenga miedo, puedo usar la receta de David: poner mi confianza en Dios y creer que Sus promesas se cumplirán siempre. El poder de Dios es mucho mayor que el de cualquier mortal.

¿Conoces las promesas que Dios te ha hecho y en las que puedes confiar tus miedos? TODAS están en Su Palabra. Búscalas, apodérate de ellas, confía en Su poder.

Mi conversación con Dios...

_____

_____

_____

_____

_____

Gracias Señor...

"El que habita a la sombra del Altísimo, se acoge a la protección del Todopoderoso. Yo le digo al SEÑOR: «Tú eres mi refugio, mi fortaleza. Dios mío, confío en ti»... Su fidelidad será tu escudo y tu muralla protectora. No te atemorizará el peligro de la noche, ni las flechas que se lanzan en el día; tampoco la plaga que anda en la oscuridad, ni el destructor que llega a plena luz del día... Yo lo salvaré, porque confió en mí; lo protegeré, porque reconoce mi nombre. Me llamará y yo le responderé; estaré con él cuando se encuentre en dificultades; lo rescataré y haré que le rindan honores. Haré que disfrute de una larga vida y le mostraré mi salvación." Salmo 91:1-2, 4b-6, 14-16 PDT

Reflexión para ti...

¡Qué difícil se me hizo seleccionar algunos versos de este Salmo! Quise incluirlo completo, pero no me da el espacio. Te invito a leerlo completo, incluso léelo en diferentes versiones... es todo un mensaje de valor para luchar contra el miedo. El salmista menciona toda clase de miedos que nos atacan. Estoy segura de que encontrarás tu miedo incluido. Lo importante es que también te da la receta para ese miedo, cualquiera sea: Confía en el refugio de Dios, reconoce Su nombre, llámalo.

Mi conversación con Dios...

_____

_____

_____

_____

_____

Gracias Señor...

"No tengas miedo, porque yo estoy contigo; no te desalientes, porque yo soy tu Dios. Te daré fuerzas y te ayudaré; te sostendré con mi mano derecha victoriosa ....Pues yo te sostengo de tu mano derecha; yo, el Señor tu Dios. Y te digo: No tengas miedo, aquí estoy para ayudarte. Aunque seas un humilde gusano, oh Jacob, no tengas miedo, pueblo de Israel, porque yo te ayudaré. Yo soy el Señor, tu Redentor. Yo soy el Santo de Israel". Isaías 41:10, 13, 14 NTV

Reflexión para ti...

Dios sabe nuestros miedos, por eso nos repite y repite: No tengas miedo. También nos dice de donde procede nuestro valor. Nuestros miedos no se pelean con nuestras propias fuerzas, capacidades o conocimiento. Nuestros miedos se pelean con SU fuerza, SU sabiduría y SU naturaleza. Nuestro valor debe estar basado en ÉL: Su presencia, Su ayuda oportuna, Su poder victorioso, Su Santidad. Nuestro valor proviene de saber que nuestra mano está sostenida por la de ÉL. ¿Con qué o quién estás tratando de combatir tus miedos?

Mi conversación con Dios...

_____

_____

_____

_____

_____

Gracias Señor...

"Pero ahora, oh Jacob, escucha al Señor, quien te creó. Oh Israel, el que te formó dice: No tengas miedo, porque he pagado tu rescate; te he llamado por tu nombre; eres mío." Isaías 43:1 NTV

Reflexión para ti. . .

Te invito a que leas este verso sustituyendo tu nombre por el de Jacob y el de Israel. Aunque este mensaje fue dirigido al pueblo de Israel, también es cierto para nosotros. Dios nos creó, nos rescató del pecado a través del sacrificio de Jesús y nos adoptó como suyos. Dios tiene la autoridad y el poder del Creador, Salvador y Padre. ¿Cómo tener miedo sabiendo que somos suyos?

Mi conversación con Dios...

_____
_____
_____
_____
_____
_____
_____
_____
_____

Gracias Señor. . .

"Escúchenme, ustedes que distinguen entre lo bueno y lo malo, ustedes que atesoran mi ley en el corazón. No teman las burlas de la gente, ni tengan miedo de sus insultos." Isaías 51:7 NTV

Reflexión para ti...

¿Has sufrido burlas e insultos por tu fe y tu vida cristiana? ¿Sientes alguna vez temor por lo que otros puedan pensar de ti cuando tu entendimiento de lo que es bueno y lo que es malo no coincide con el mundo que te rodea? Dios lo sabe. Dios lo ha visto y escuchado. Enfócate en atesorar Su ley en tu corazón y en discernir Su enseñanza. Esos son tus tesoros contra el temor a la burla.

Mi conversación con Dios...

_____

_____

_____

_____

_____

_____

_____

_____

_____

_____

Gracias Señor...

Tesoro de Valor que Dios te regala hoy

"Hijo de hombre, no tengas miedo ni de ellos ni de sus palabras.
No temas, aunque sus amenazas te rodeen como ortigas, zarzas y
escorpiones venenosos. No te desanimes por sus ceños fruncidos, por
muy rebeldes que ellos sean. Debes darles mi mensaje
sea que te escuchen o no." Ezequiel 2:6–7a NTV

Reflexión para ti. . .

*A todos nos gusta agradarles a otros. Todos quisiéramos vivir rodeados
de relaciones sanas, dulces, amorosas, tolerantes y agradables. Nos gusta
que la gente nos escuche, especialmente cuando les hablamos de Dios.
Pero no vivimos en un mundo perfectamente ideal. Habrá momentos de
amenaza, maldad, veneno y desaprobación. Momentos de ceños fruncidos.
Dios lo sabe y lo ve. Hoy te dice que no te desanimes por las actitudes de
los que no comparten tu fe. Obedécelo, sea que te escuchen o no.*

Mi conversación con Dios...

_____
_____
_____
_____
_____
_____
_____
_____
_____

Gracias Señor. . .

"Entonces dijo: No tengas miedo, Daniel. Desde el primer día que comenzaste a orar para recibir entendimiento y a humillarte delante de tu Dios, tu petición fue escuchada en el cielo. He venido en respuesta a tu oración." Daniel 10:12 NTV

Reflexión para ti. . .

Daniel había estado intercediendo por su pueblo desde hacía días y no había visto la respuesta. Ahora, un ángel se le aparece con la respuesta a su oración. ¡Cómo me animan estas palabras del ángel! Cuando la respuesta de Dios parece tardarse y la espera nos debilita y atemoriza, Dios nos recuerda que Él ha escuchado y contestado, aunque no lo hayamos visto. ¿Has estado intercediendo por alguien y no has visto la respuesta aún? No tengas miedo, Dios ya ha puesto la respuesta en Su agenda.

Mi conversación con Dios...

_____
_____
_____
_____
_____
_____
_____
_____
_____
_____

Gracias Señor...

"No tengas miedo, dijo, porque eres muy precioso para Dios.
¡Que tengas paz, ánimo y fuerza! Mientras me decía estas palabras,
de pronto me sentí más fuerte y le dije: Por favor, háblame,
Señor mío, porque me has fortalecido." Daniel 10:19 NTV

Reflexión para ti...

¡Eres precioso para Dios! No precioso de apariencia, sino precioso en valor. La Biblia repite esto en muchas maneras, muchas veces. Eres como la niña de Sus ojos, te entretejió en el vientre de tu mamá, eres Su hijo, vela por ti, te cubre como una gallina a sus pollitos… Esta verdad es nuestra fuente de fortaleza y valor. ¿Alguna vez has tenido algo que valoras como precioso para ti: una joya, un recuerdo de familia, un retrato, un hijo…? Estoy segura de que mientras más valioso es para ti, más lo cuidas y proteges. Nuestro amor y apreciación no se comparan con el de Dios. ¿Por qué temer si Dios TODOPODEROSO me ve como Su obra preciosa?

Mi conversación con Dios...

_____
_____
_____
_____
_____
_____
_____

Gracias Señor...

"Señor, ¡sálvanos! ¡Nos vamos a ahogar! –gritaron.

¿Por qué tienen miedo? —preguntó Jesús—.

¡Tienen tan poca fe! Entonces se levantó y reprendió al viento

y a las olas y, de repente, hubo una gran calma."

Mateo 8:25b–26 NTV"

Reflexión para ti. . .

¿Cuántas veces has clamado a Dios porque sientes que te ahogas? Puede ser que haya sido literal y hayas estado en aguas que te quieren arrastrar, pero hay muchas tormentas que no son literales y que también nos hacen sentir que nos ahogamos. Si estás en medio de esa tormenta hoy, Jesús te está diciendo: "Clama a mí y yo te responderé, ten fe, no tengas miedo, experimenta la calma de poner toda situación en Mis manos sabiendo que Yo tengo el poder y la autoridad para que los vientos me obedezcan."

Mi conversación con Dios...

_____

_____

_____

_____

_____

_____

_____

_____

_____

Gracias Señor. . .

Tesoro de Valor que Dios te regala hoy

"En cuanto a ustedes, cada cabello de su cabeza está contado.
Así que no tengan miedo; para Dios ustedes son más valiosos
que toda una bandada de gorriones." Mateo 10:30–31 NTV

Reflexión para ti...

El que te creó, te conoce totalmente. Conoce tu potencial y tus esfuerzos, pero también conoce tus debilidades, tus defectos, tus fallas... ¡y aún así eres valioso para Él! Todo lo que eres es valioso para Él. Dios cuida toda Su creación, y eso te incluye a ti. Recuerdo un himno de mi niñez: "Si Él cuida de las aves, cuidará también de ti".

Mi conversación con Dios...

_____
_____
_____
_____
_____
_____
_____
_____

Gracias Señor...

"...pero el ángel le dijo: —¡No tengas miedo, Zacarías! Dios
ha oído tu oración. Tu esposa, Elisabet, te dará un hijo,
y lo llamarás Juan." Lucas 1:13 NTV

Reflexión para ti...

*Zacarías era un sacerdote bueno. Llevaba muchos años orando por un
hijo. Por los propósitos sabios de Dios, todavía su oración no había sido
contestada, pero sí había sido escuchada. ¡Cuántos miedos podemos
entregarle a Dios sabiendo que nuestra oración ha sido escuchada y que
Dios la contestará de acuerdo con Su voluntad y Su propósito que siempre
es mejor que el nuestro!*

Mi conversación con Dios...

_____
_____
_____
_____
_____
_____
_____
_____
_____

Gracias Señor...

"Una noche, el Señor le habló a Pablo en una visión y le dijo:
¡No tengas miedo! ¡Habla con libertad! ¡No te quedes callado!
Pues yo estoy contigo, y nadie te atacará ni te hará daño, porque
mucha gente de esta ciudad me pertenece" Hechos 18:9–10 NTV

Reflexión para ti...

¡No me puedo imaginar al apóstol Pablo teniendo miedo de hablar la Palabra! ¡Qué bueno saber que no soy la única que a veces siento este temor! Creo que Dios quiso incluir este verso en la Biblia, para animarnos a todos los que batallamos con este temor. El nos afirma que está con nosotros, nos protege y nos provee otros creyentes para apoyarnos. Los tiempos que estamos viviendo requieren que tomemos posición, que hablemos la verdad que Dios nos ha dado. ¡No tengas miedo! ¡Habla con libertad! ¡No te quedes callado!

Mi conversación con Dios...

_____

_____

_____

_____

_____

_____

_____

_____

Gracias Señor...

"Y ustedes no han recibido un espíritu que los esclavice al miedo. En cambio, recibieron el Espíritu de Dios cuando él los adoptó como sus propios hijos. Ahora lo llamamos Abba, Padre."
Romanos 8:15 NTV

Reflexión para ti...

¡Qué muchas veces hemos acudido a nuestros papás terrenales como fuente de protección y apoyo! Cuando hemos tenido un papá terrenal bueno (aunque ninguno perfecto), sabemos que podemos refugiarnos en sus brazos, en su fuerza y en su sabiduría. Dios nos adoptó como hijos propios y Su Espíritu no tiene miedo de nada. El miedo es una esclavitud. Dios te ha dado la libertad de Su Espíritu. ¡Llama a tu padre celestial hoy y entrégale tus miedos!

Mi conversación con Dios...

_____

_____

_____

_____

_____

_____

_____

_____

_____

_____

Gracias Señor...

Pensamientos

Pensamientos